黄河防汛基础知识

刘红宾　李跃伦　主编

U0286508

黄河水利出版社

内 容 提 要

本书从黄河的基本概况出发,介绍了黄河下游防洪的基础知识、黄河下游防洪工程体系、防洪非工程措施、防汛组织与管理、防汛抢险技术、黄河历史大洪水及防洪防凌以及黄河重大险情抢险实例。

本书可供从事水利工作的管理、科技人员和广大治黄职工,以及关心热爱和支持黄河治理与开发的社会各界人士参考。

图书在版编目(CIP)数据

黄河防汛基础知识/刘红宾,李跃伦主编.—郑州:
黄河水利出版社,2001.11
ISBN 7-80621-523-9

Ⅰ.黄…　Ⅱ.①刘…②李…　Ⅲ.黄河-防洪工程
-基本知识　Ⅳ.TV882.1

中国版本图书馆 CIP 数据核字(2001)第 084209 号

出 版 社:黄河水利出版社
　　　　地址:河南省郑州市金水路 11 号　邮编:450003
发行单位:黄河水利出版社
　　　　发行部电话及传真:0371－6022620
　　　　E-mail:yrcp@public2.zz.ha.cn
承印单位:黄委会设计院印刷厂
开本:787 毫米×1 092 毫米　　　1/16
印张:9.375
字数:163 千字　　　　　　　印数:1－2 000
版次:2001 年 11 月第 1 版　　印次:2001 年 11 月第 1 次印刷

书号:ISBN7-80621-523-9/TV·251　　定价:25.00 元

前　言

黄河安危,事关大局。

黄河是一条世界闻名的河流,是我国的第二大万里巨川,是中华民族的摇篮。黄河流域历史上长时期内是我国的政治、经济和文化的中心,在当今的社会主义现代化建设中,也占有重要的位置。

黄河又是一条中外闻名的害河,以多沙、善淤、善决、善徙而著称。几千年来,经常在下游决口泛滥,平均"三年两决口,百年一改道",洪水波及范围,西起孟津,北至天津,南抵江淮,泛区涉及黄、淮、海平原的冀、鲁、豫、皖、苏5省25万 km²。黄河每次决口和改道,都给广大人民的生命和财产造成巨大的损失,带来深重的灾难,对生态环境造成严重的破坏和长远的恶劣影响。因此,黄河有"中国之忧患"、"中华民族心腹之患"之说。

从1946年人民治黄以来,党和国家第一、第二和第三代领导人,都把黄河的问题作为国民经济建设和社会稳定发展的一件大事,对黄河的治理和开发倾注了极大的热情和亲切的关怀。新中国建立以后,毛泽东主席第一次出京视察,就来到黄河,发出了"一定要把黄河的事情办好"的伟大号召;邓小平同志也多次到黄河视察;江泽民总书记已六次到黄河的上游、中游和下游考察,实地了解黄河的治理开发情况,听取治黄工作汇报,作了许多重要指示,从青海到宁蒙河套,从黄土高原到黄河入海口,到处都留下了江总书记辛勤的脚印,1999年6月视察黄河时,向全党全国人民发出"加强治理开发,让黄河造福于中华民族"的伟大号召。晋、陕、豫、鲁四省省委、政府和沿黄广大军民,都把治理黄河、确保黄河安全放在各项工作的首位,战胜了1958年、1982年大洪水,为黄河下游取得连续55年伏秋大汛没决口的伟大胜利,作出了巨大的贡献。

人民治黄以来,下游先后三次对堤防进行了加高培厚,利用黄河泥沙量大的特点,开展了淤背固堤;进行了河道整治和河口治理;开辟了北金堤滞洪区、东平湖水库、齐河展宽区等分滞洪工程;先后在干支流上建成了三门峡水利枢纽、陆浑水库、故县水库,初步形成了"上拦下排,两岸分滞"的防洪工程体系。对黄河下游防洪具有重大战略意义的小浪底水利枢纽的建成,使黄河下游防洪标准有了比较大的提高。与此同时,非工程防洪措施也得到了加强,全河水文站网已有水文站 458 个、水位站 58 个、雨量站 2 376 个,近年来部分地区建成了水情数汉传输系统,对水文测报设施进行了大规模的更新改造,计算机技术得到了普及和广泛的运用,提高了测验和报汛精度;通信方面基本建成了以郑州为中心,以数字微波为主干,以无线通信为主体,可上联水利部、国家防总,下接黄河两岸各省、市、县河务局和沿河各重要工程、水文(位)站、雨量站的黄河防汛专用通信网。在黄河下游组建了 20 支机动抢险队,提高了综合抢险能力。

但是,黄河是一条极为复杂和难以治理的河流,下游高村以上宽河道还没有得到完全控制,大洪水期间有发生"横河"、"斜河"和"滚河"的危险,大堤还存在比较多的隐患,部分堤段高度不足,强度达不到设计要求,还存在冲决、漫决和溃决的可能,防洪形势仍然十分严峻,决不可以掉以轻心。

实行防汛行政首长负责制以来,各地加强了对防汛工作的领导,推动了黄河防汛工作的开展,但由于行政领导事务性工作较多,且换届、调动比较频繁,因此,对黄河防汛情况了解得还不够。为了让各地主管黄河防汛工作的领导能够更多地了解黄河,更好地做好黄河防洪抢险工作,最大限度地减少洪灾损失,我们有针对性地编写了这本书。本书以防洪为中心,以下游为重点,介绍了黄河流域的基本情况、洪水与泥沙、黄河下游的防洪任务和防洪工程体系建设、非工程防洪措施、防汛组织与管理、基本抢险技术,以及黄河历史大洪水等,列举了以往发生的重大险情抢护的实例。本书是各级行政首长了解黄河的最佳读物,也可作为各级进行防汛培训的教材。

本书第一章、第七章和第八章由李跃伦编写,第二章由蔡彬编写,第三章和第九章由薛云鹏编写,第四章由程艳红编写,第五章由卢杜田编写,第六章由魏向阳编写。全书由刘红宾通稿,苏茂林审定。在编写过程中,吸取了以往的研究成果,参阅了大量的文献资料,在此谨致谢意。由于参编人员水平有限,谬误和不当之处,衷心欢迎广大读者批评指正。

编　　者

2001 年 6 月 20 日

目　录

第一章　黄河流域概况

黄河因水浑色黄而得名。

黄河发源于青海省巴颜喀拉山北麓海拔 4 500m 的约古宗列盆地,流经青海、四川、甘肃、宁夏、内蒙古、山西、陕西、河南、山东等 9 省(区),在山东省垦利县注入渤海,全长 5 464km,流域面积 79.5 万 km²。不论河道长度、流域面积,黄河在我国长江、黄河、珠江、淮河、海河、松花江和辽河等七大江河中都占第二位,是我国的第二大河。

黄河流域是中华民族的摇篮,是我国文化的发源地,历代都城多分布于此。在我国历史上,各朝代都把发展水利事业,增加农业产量,以及为运输,特别是为漕运创造条件,当作社会发展与政治斗争的重要手段和有力武器,从而促进了黄河流域经济的繁荣,使之成为我国最早的经济区。

黄河流域地域辽阔,气候变化较大,降水量从东南向西北递减,水旱灾害频繁,历史上曾经多次发生遍及数省、连续几年的旱灾,造成赤地千里、饿殍遍地。但更为严重的是洪水灾害,“洪水横溢,尸漂四野”的记载不绝于书。平均“三年两决口,百年一改道”,洪水波及范围,西起孟津,北至天津,南抵江淮,泛区涉及黄、淮、海平原的冀、鲁、豫、皖、苏 5 省 25 万 km²。黄河每次决口和改道,都给广大人民的生命和财产造成巨大的损失,带来深重的灾难,对生态环境造成严重的破坏和长远的恶劣影响。因此,黄河有“中国之忧患”、“中华民族心腹之患”之说。

黄河流域暴雨多,强度大,洪水多由暴雨形成,主要来自上游兰州以上和中游河口镇至龙门、龙门至三门峡、三门峡至花园口、汶河流域 5 个地区。黄河流域冬季较为寒冷,宁夏和内蒙古河段都要封河,下游为不稳定封冻河段,龙门至潼关河段在少数年份也有封河现象。春季开河时形成冰凌洪水,常常造成凌汛威胁。

黄河中游流经世界上最大的黄土高原,因其土质疏松,地形支离破碎,暴雨频繁且强度大,水土流失极为严重。不仅影响当地工农业的发展,而且大量泥沙流入黄河,使黄河成为世界上泥沙最多、含沙量最大的河流。由于泥沙的淤积,黄河下游河道已成为地上“悬河”,是世界上最复杂、最难治理的河流。

第一节　自然地理和社会经济

黄河流域位于北纬 32°～42°、东经 96°～119°之间,西起巴颜喀拉山,东临渤海,北界阴山,南至秦岭,中有六盘、吕梁等群山起伏,并有世界上最大的黄土高原,横跨青藏高原、内蒙古高原、黄土高原和华北平原等 4 个地貌单元,东西长约 1 900km,南北宽约 1 100km。

黄河与其他江河不同,流域面积集中在上中游地区,下游长达数百公里的河道高悬地上,集水面积很小,两岸平原大部分属淮河及海河流域,但长期遭受黄河水患危害,现在及将来又依靠黄河供水,广大平原的安危兴衰、社会经济的发展,都与黄河紧密相关,历来属于黄河流域经济区的组成部分。

一、自然地理

(一)地形地貌

黄河流域西高东低,十分明显地呈三级阶梯逐级下降。

最高一级阶梯是流域西部的青海高原,位于著名的"世界屋脊"——青藏高原的北部,海拔 3 000～5 000m,有一系列西北—东南向的山脉,黄河迂回于山原之间,河谷两岸山脉海拔 5 500～6 000m,相对高差达 1 500～2 000m。雄踞黄河第一大河曲的阿尼玛卿山主峰玛卿岗日海拔 6 282m,是黄河流域的最高点,山顶常年积雪,冰川地貌发育,气象万千。青海高原南缘的巴颜喀拉山脉,山峦绵延,是黄河与长江上游通天河的分水岭。祁连山脉横亘高原北缘,构成青海高原与内蒙古高原的分界。河源区及黑河、白河流域,地势平坦,多为草原、湖泊及沼泽。

第二阶梯大致以太行山为东界,海拔 1 000～2 000m。本阶梯内白于山以北属于内蒙古高原的一部分,包括黄河河套平原和鄂尔多斯高原。白于山以南为黄土高原和崤山、熊耳山、太行山等山地。

黄河河套平原西起宁夏中卫、中宁,东至内蒙古托克托,长约 900km,宽 50km 左右,海拔 900～1 200m,是黄河流域最大的灌区。河套平原北部的阴山山脉和西部的贺兰山、狼山,犹如一道屏障,阻挡着阿拉善高原上腾格里、乌兰布和丹吉林等沙漠向黄河流域腹地的侵袭。鄂尔多斯高原的西、北、东三面均为黄河所环绕,南界长城,面积 13 万 km²,绝大部分地区海拔 1 000～1 400m,是一块近似方形的台状干燥剥蚀高原,风沙地貌发育。北有库布齐沙漠,南为毛乌素沙漠,河流较少,盐碱湖泊众多。

世界著名的黄土高原北起长城,南达秦岭,西抵青海高原,东至太行山脉,海拔 1 000~2 000m。黄土塬、梁、峁、沟是黄土高原的地貌主体。由于新构造运动,黄土高原不断抬升,加之土质松散,垂直节理发育,植被稀疏,在长期暴雨径流的水力侵蚀和滑坡、崩塌、泻溜等重力作用下,黄土高原沟壑纵横,坡陡沟深,是黄河泥沙的主要来源区。

横亘黄土高原南部的秦岭山脉,是我国亚热带和暖热带的南北分界线,是黄河与长江的分水岭,也是黄土高原飞沙不能南扬的挡风墙。伏牛山、嵩山分别是黄河流域同长江、淮河流域的分水岭。太行山耸立在黄土高原与华北平原之间,最高海拔 2 000~4 500m,是黄河流域与海河流域的分水岭,也是华北地区一条重要的自然地理分界线。这一地区的地形条件,有利于水气的抬升,暴雨强度大,产汇流条件好,是黄河中游洪水主要来源区之一。

第三阶梯自太行山系以东直至滨海,由黄河下游冲积平原和鲁中丘陵组成。黄河下游冲积平原是我国第二大平原——华北平原的重要组成部分,包括豫东、豫北、鲁西、鲁北、冀南、冀北、皖北、苏北等地区,面积 25 万 km²,海拔 100m 左右。平原地势以黄河大堤为分水岭,大堤以北为黄海平原,属海河流域;大堤以南为黄淮平原,属淮河流域。鲁中丘陵由泰山、鲁山和沂山组成,海拔 400~1 000m,最高 1 524m,其西部、北部诸水,皆入黄河。

(二)气候特点

黄河流域东西 23 个经度,南北相隔 10 个纬度,地理位置差别很大。同时黄河大部分流域面积深藏在大陆内部,下游近海部分为一狭窄长条,面积又较小,所以海洋影响远较大陆影响为小。流域内东西和南北走向的巨大山脉,以及青藏高原、黄土高原、内蒙古高原等,对气候都有重要影响。特别是青藏高原,位于流域的西侧,对黄河流域乃至于整个东亚地区的气候影响极大。

黄河流域气候属东亚季风区。春季气候干燥,风沙多,同时晴天多,温度上升快,所以易发生春旱;夏季西太平洋副热带高压向北移,控制黄河流域,水汽大量输入,与西北高压交绥,易产生降水,其交绥口的强弱、进退、位置及持续时间的长短,都产生不同的降雨天气系统,影响黄河流域以及更大范围的旱涝等气候的变化。秋季大陆低压和西太平洋高压减弱南撤,高空西风急流南移,西北高压扩张,水汽不多,故降雨明显减少,形成秋高气爽天气,但在渭河和兰州以上多有连绵秋雨;冬季受强大的蒙古高压影响,盛行偏北风,常出现寒潮、冷风,气流区活跃,但水汽不多,降水显著减少。

黄河流域地域辽阔,分属于湿润(面积小)、半湿润、半干旱、干旱 4 个地带。流域降水量分布不均,西北少、东南多,大部分年降水量在 150~700mm

之间,流域平均年降水量为451mm,最少在内蒙古磴口附近,仅145mm,多雨区在黄河上游玛曲一带以南及秦岭至洛河上游,年降水量800~900mm,局部可达1 000mm。

年内最大降水量的4个月是6~9月,占全年的55%~80%。降水量年际变化较大,最小最大年降水量的比值为1.6~7.0。

黄河流域气温东部高于西部,南部高于北部,平原高于高原、山区。多年平均气温,上游为1~8℃,中游为8~14℃,下游为12~14℃。月平均气温以7月份为最高,大部分在20~29℃之间。

二、社会经济概况

黄河流域及下游防洪保护区共有人口1.72亿(流域内9 780万),占全国总人口的15.1%,耕地面积约0.187亿公顷(流域内0.12亿公顷),占全国的19.4%。

黄河流域是我国农业经济开发最早的地区,汾渭盆地和下游平原至今仍是我国的重要农业基地,河套平原是干旱地区建设"绿洲农业"的成功典型。流域经济区的小麦、棉花、油料、烟叶等农产品在全国占有重要地位。1990年全流域及下游防洪保护区粮食总产量占全国的14.6%,其中下游防洪保护区为7.6%;棉花总产量占全国的39%,其中下游防洪保护区为34%;油料总产量占全国的14.8%,其中下游防洪保护区为5.4%。

黄河流域经济区工业基础较为薄弱,新中国成立以来,黄河流域及下游平原地区的工业取得了迅猛的发展,建立了一批工业基地和新兴工业城市,如西宁、兰州、银川、包头、呼和浩特、太原、西安、洛阳、郑州、濮阳、济南、东营等。生产力布局初步形成了黄河上游沿黄经济带、黄河中游汾渭盆地经济带、下游沿黄经济带,为进一步发展流域经济和保持流域可持续发展奠定了坚实的基础。能源工业包括煤炭、电力和石油,具有显著的资源优势,发展速度很快,已成为区内最大的工业部门,在全国也占有日益重要的地位。

黄河流域矿产资源十分丰富,早在1990年就探明有114种,其中在全国已探明的45种主要矿产中,黄河流域就有37种,稀土、铌、石膏、煤、铝土矿、钼、耐火土及玻璃硅质原料等8种具有全国优势。流域可开发的水电装机容量为3 185万kW,年发电量在全国江河中名列第二。上游地区的水电,中游地区的煤炭和天然气,下游地区的石油,在全国都占有极为重要的位置。欧亚大陆桥的开通和区内交通建设步伐的加快,将为区内经济发展创造更为有利的条件。国家经济建设重点逐步向西部转移这一重大战略的确定,必将为流域经济提供更多的发展机遇和更大的发展空间。

三、干流河段特性

黄河干流河道全长 5 464km,落差 4 480m,比降 8.2‰,汇入支流 76 条(指流域面积在 1 000km² 以上的一级支流,下同),综合其特点是:弯曲多变,支流分布不均,河床纵比降较大。根据水沙特性和地形、地质条件,分为上、中、下游,其中河源至内蒙古托克托河口镇为上游,河口镇至郑州桃花峪为中游,桃花峪至入海口为下游。

(一)上游

河源至河口镇河道长 3 472km,比降 10.1‰,占全河长度的 63.5%;流域面积 42.8 万 km²(含内流区 4.2 万 km²),占全河的 53.8%;落差 3 496m,占全河的 78%;汇入支流 43 条。河段内的扎陵湖和鄂陵湖是我国最大的高原淡水湖,水面面积分别为 526km² 和 610km²,平均水深分别为 9m 和 17.6m,蓄水量分别为 47 亿 m³ 和 108 亿 m³。玛多至玛曲河段,大部分河谷宽展,间有几段峡谷。玛曲至龙羊峡区间,黄河流经高山峡谷,水流湍急。龙羊峡至宁夏下河沿,长 794km,河流川峡相间。下河沿至河口镇,流经宁蒙平原,比降平缓。

(二)中游

河口镇至郑州桃花峪河道长 1 206km,比降 7.4‰,占全河长度的 22.1%;区间流域面积 34.4 万 km²,占全流域的 43.3%;落差 890m,占全河的 19.7%;汇入支流 30 条。河口镇至禹门口为峡谷段,两岸支流较多,产汇流条件好,是黄河洪水泥沙的主要来源区之一。禹门口至潼关河段是宽浅散乱的游荡性河道,为晋、陕两省界河,有汾河、渭河两大支流汇入。潼关至三门峡为峡谷型河道,是三门峡水库目前运用经常回水变动区。三门峡至小浪底为黄河最后一个峡谷,是小浪底水库的库区,两岸小支流较多,产汇流条件较好,同时也是主要暴雨区。小浪底至桃花峪为黄河由山区进入平原的过渡河段,有洛河及沁河汇入。黄河中游来沙量占全河总沙量的 90%。

(三)下游

郑州桃花峪以下至入海口为黄河下游,流域面积 2.3 万 km²,仅占全河流域面积的 3%,河道长 786km,落差 94m,平均比降 1.2‰,有 3 条支流汇入,即天然文岩渠、金堤河及大汶河。黄河下游河道横贯于华北大平原之上,北岸自孟州以下(孟州至桃花峪位于中游,但防洪与下游紧密相关,所以视同下游管理),南岸自郑州铁路桥以下,除东平湖陈山口到济南玉符河段依山麓外,两岸都建有大堤。由于泥沙长时间的大量淤积,下游河道逐年抬高,郑州花园口河段多年平均每年抬升 0.1m,目前滩面一般高出背河地面 3～5m,部分河段如河南封丘的曹岗附近滩面高出背河地面 10m,是世界上著名的"悬河",成为淮河与海河的分水岭。两岸引黄灌区面积约 200 万公顷,是我国目前最大的自流灌区。

黄河下游河道在历史上决口改道频繁,从远古时代的"禹王故道",到目前的现行河道,经历过六七次大的迁徙。现行开封兰考以下河段,是 1855 年(清咸丰五年)黄河在兰阳铜瓦厢(今兰考境内)决口改道,夺山东大清河入渤海后形成的。抗日战争初期,国民党政府于 1938 年在郑州花园口扒开黄河南岸大堤,企图以水代兵,阻止日军西犯,又造成一次人为的改道,历时 9 年,至 1947 年堵复,黄河才回归故道。黄河下游河道历代决口变迁,使华北平原逐渐抬高,凡是过去黄河行经的故道,如延津以北的汉代故河道,兰考以南的明清故道,都已成为一条条高出地面的沙岭。

黄河下游河道上宽下窄,排洪能力上大下小。桃花峪至高村河道,水流宽、浅、散、乱,河势摆动频繁,摆幅可达 5～7km,属典型的游荡性河道,两岸堤距 5～10km,最宽达 20km,河槽宽度 1～3.5km;1974 年滩区修建生产堤以后,减少了洪水上滩机会,加重了主河槽淤积,部分河段滩区横比降高达 2‰～3‰,形成了"槽高、滩低、堤根洼"的不利局面。高村至艾山河段,堤距 1.5～8km,河槽宽 0.5～1.6km,属过渡性河道。艾山至利津河段,堤距 0.4～5km,河槽宽 0.4～1.5km,受制于险工、护岸工程,属弯曲性河道。利津以下是黄河河口段,现流路为 1976 年人工改道后的河道,目前河口位于渤海湾与莱州湾交汇处,属弱潮多沙、摆动频繁的陆相河口,平均每年输送到河口的泥沙约 10 亿 t,滨海地区平均每年造陆面积 25～30km²。

第二节　水沙概况与特点

一、水资源

黄河多年平均天然径流量为 580 亿 m³,仅占全国河川径流量的 2.1%,居全国七大江河的第四位。流域人均水量 593m³,约为全国人均水量的 23%。耕地平均水量每公顷 4 860m³,相当于全国平均水量的 18%。

黄河天然径流量的地区分布很不均匀。兰州以上地区,流域面积占全河的 29.6%,年径流量达 323 亿 m³,占全河的 55.6%,是黄河来水最丰富的地区。兰州至河口镇流域面积 16.3 万 km²,面积有所增加,但由于这一河段气候干燥,河道渗漏及蒸发量大,径流量反而减少了 10 亿 m³。河口镇至龙门区间流域面积占全河的 14.8%,来水 72.5m³,占全河的 12.5%。龙门至三门峡区间流域面积占全河的 25.4%,来水 113.3 亿 m³,占全河的 19.5%。三门峡至花园口区间流域面积占全河的 5.5%,来水 60.8 亿 m³,占全河的 10.5%,是又一产流较多的地区。花园口至河口区间面积占全河的 3%,来水量 21 亿 m³,占全河的 3.6%。

黄河干流各站汛期(7~10 月)天然径流量约占全年的 60%,非汛期约占 40%。从 20 世纪 70 年代(凡年代,以下均指 20 世纪)以来,黄河下游经常断流。进入 90 年代之后,断流频次、天数及河段长度都呈增长趋势,断流影响日益严重。1972~1998 年的 27 年中,黄河下游共有 21 年发生断流,占总年数的 77.8%。1997 年全年断流时间高达 226 天,占全年时间的 61.9%,断流河段上延到河南开封黑岗口,为黄河下游有水文资料以来之最。

二、泥沙

黄河以泥沙多而闻名于世。我国古籍中常以"黄水一石,含泥六斗"、"黄河斗水,泥居其七"来描述黄河的多沙状况。历史上黄河下游河道决口频繁,与泥沙淤积河道有直接关系。

黄河下游多年平均输沙量为 16 亿 t,含沙量为 33.6kg/m³。与世界上其他多泥沙河流相比,孟加拉国的恒河年输沙量为 14.5 亿 t,总量与黄河相近,但其水量较多,平均含沙量只有 3.9kg/m³,远小于黄河。美国柯罗拉多河的含沙量为 11.6kg/m³,年输沙量仅 1.8 亿 t,远低于黄河。黄河沙量之多、含沙量之高,在世界江河中是绝无仅有的。如果把 16 亿 t 泥沙堆成高、宽各 1m 的土堤,其长度为地球到月球距离的 3 倍。

三、水沙特性

(一)水少沙多

黄河是我国的第二条大河,但大部分处于干旱或半干旱地带,因此,径流量小。与长江相比,黄河水量只有长江的 1/20,但沙量却是长江的 3 倍。与前述美国柯罗拉多河和孟加拉国的恒河等其他国家的河流相比,黄河的年输沙量之多、含沙量之高,都是世界上其他河流所无法比拟的。

(二)水沙异源

黄河 90% 的泥沙来自中游黄土高原。河口镇以上流域面积为 36 万 km²,

占全流域的49%,来水量占54%,但来沙量仅占9%,多年平均含沙量只有5.6kg/m³;三门峡以下伊河、洛河、沁河等支流来水量约占10%,来沙量占2%,多年平均含沙量6.2kg/m³。这两个地区相对其他地区来讲,是水多沙少,是黄河的清水来源区。河口镇至龙门区间,两岸来水量占下游来水量的14%,来沙量占55%,多年平均含沙量为126.4kg/m³;龙门至潼关流域面积19万km²,来水量占22%,来沙占34%,多年平均含沙量为52.4kg/m³。这两个地区水少沙多,是黄河泥沙的主要来源区。

(三)年际变化大,年内分布不均

黄河水沙不仅地区分布集中,而且年内年际分配也很不均匀。一年之中,85%的泥沙和60%的水量来自汛期,并且常集中于几场暴雨洪水。例如,三门峡站洪水期最大5天沙量占年沙量的31%,水量仅占4.4%。中游无定河川口站最大5日沙量占全年沙量的42.2%,窟野河温家川站占75.2%。

水沙量在长时间内呈现丰、枯相间的周期性变化。自1919年有实测资料以来,1922~1932年连续11年和1969~1974年连续6年为枯水期,1933~1968年的36年间为丰、平、枯交替的丰水期。由于黄河存在"水沙异源"的特性,来沙多不一定来水多,反之来水多不一定来沙多。1958年来水量697亿m³,来沙31.1亿t,属丰水多沙年;1983年来水583亿m³,来沙10亿t,属丰水少沙年;1959年来水392亿m³,来沙27.1亿t,属枯水多沙年;1987年来水220亿m³,来沙2.75亿t,属枯水少沙年。

水沙年际间变幅很大,沙量变幅大于水量变幅。1964年来水量754亿m³为最大,1987年来水量220亿m³为最小,最大值是最小值的3.4倍。1933年来沙量高达37.67亿t,1961年受三门峡水库运用影响来沙仅1.86亿t,两者相差20倍;未受三门峡水库影响的1928年来沙量4.88亿t,也相差8倍。

(四)含沙量变幅大

黄河水沙年内分配不均,水沙量主要集中在汛期几场暴雨洪水,每年入汛后的第一场洪水的含沙量一般较高,以后的含沙量就较小,这种差别可使同一流量下的含沙量相差10倍左右。高度集中的泥沙形成浓度极大的高含沙洪水,干流龙门站1966年7月18日含沙量高达933kg/m³,三门峡、小浪底站1977年8月6日、7日最大含沙量曾达到911kg/m³和941kg/m³的历史最高记录,同年8月8日花园口站也出现546kg/m³的记录。在黄甫川、无定河、窟野河等多沙支流,常有1 000~1 500kg/m³含沙量的泥流出现。

第三节　流域洪水与冰凌灾害

一、洪水

黄河流域有"桃"、"伏"、"秋"、"凌"四汛,按成因分暴雨洪水和冰凌洪水两类。暴雨发生在七八月份称"伏"汛,发生在九十月份称"秋"汛,二者合称"伏秋大汛"。冰凌洪水在上游宁蒙河段一般发生在 3 月份,下游一般发生在 2 月份。由于上游凌洪流至下游适逢桃花盛开的季节,故称"桃汛"。

(一)暴雨洪水

"伏秋大汛"是目前对黄河下游安全威胁最大的洪水,与流域内的暴雨密切相关,其特点也与暴雨特性相似。

从发生的时间看多在 6～10 月,较大洪水多出现在 7～9 月,上游地区以 7 月和 9 月居多,中游地区则以 7 月、8 月为多。三门峡至花园口区间的较大洪水一般比三门峡以上早,中游地区洪水一般比上游地区发生得早。

从洪峰的型式看,上游洪水历时长,洪峰低,为矮胖型。如兰州站一次洪水一般历时 40 天,最短 22 天,最长 66 天。中游洪水历时短,洪峰高,是高瘦型,一次洪水一般历时 5～8 天,连续两次洪水历时 10～15 天,由于各地洪水发生时间迟早和汇流条件的差异,三门峡、花园口等干流测站连续洪水最长历时可达 45 天。

从洪水来源看,下游花园口站的洪水主要来自中游 3 个地区,即头道拐(河口镇)至龙门区间、龙门至三门峡区间(以下简称为龙三区间)、三门峡至花园口区间(以下简称为三花区间)。3 个不同来源区的洪水,组成花园口站 3 种类型的洪水:

一是三门峡以上的河龙间和龙三间来水为主形成的大洪水,三花间来水较小,简称"上大型洪水",1933 年和 1843 年大洪水均属此类。这类洪水具有洪峰高、洪量大、含沙量大的特点,对黄河下游防洪威胁严重。三门峡水库建成后,这类洪水得到了适当的控制。即将建成的小浪底水库投入运行后,基本上可以解除这类洪水对下游的防洪威胁。

二是三门峡以下的三花间干流来水为主,三门峡以上来水较小,简称"下大型洪水",1958 年、1761 年大洪水均属此类。这类洪水的特点是涨势猛、洪峰高、含沙量小、预见期短,对下游防洪威胁最为严重。

三是以三门峡以上的龙三间和三门峡以下的三花间共同来水组成,简称

"上、下较大型洪水"，1957年、1964年的洪水属于此类。这类洪水的特点是洪峰较低、历时较长、含沙量小，对下游防洪也有相当威胁。

无论是三门峡以上来水为主，还是三门峡以下来水为主，都能造成花园口的大洪水或特大洪水，但"上大洪水"和"下大洪水"一般均不遭遇。

黄河各河段的洪水组成的特点是：头道拐以上的洪水完全由兰州以上来洪所决定，兰州以下几乎不增加洪水。三门峡实测的较大洪水和特大洪水，常由龙门以上和"龙三"区间同时涨水遭遇而成，龙门站的洪峰和短历时洪量主要来自头道拐—龙门区间，这一区间的洪峰又绝大多数来自头道拐至吴堡区间。花园口站的较大洪水和特大洪水，是"三花"间和三门峡以上任何一个地区涨水都可能造成的，但洪量则多以三门峡以上来水为主。以单位面积来洪量衡量，三花间最多，头道拐以上最小，头道拐至龙门区间和龙门至三门峡区间大体相当。

(二)冰凌洪水

黄河凌汛对两岸人民生命财产有很大威胁。影响凌汛的因素比较复杂，主要有以下3个方面：一是气温，长时间的低于0℃的低温天气和大范围的强降温，才可能使河道产生冰花和流凌，进而封冻。二是水流动力，流量大，水流动力强，利于输送冰凌，有利于推迟封河，但一旦封河，易出现高水位，对堤防造成威胁；流量小，水流动力弱，不利排冰，易提前封河，由于冰盖低，冰下过流能力小，对后期防凌不利，因此，对封河流量的控制是非常关键的。三是河道边界条件，河道归顺、通畅，有利于冰块和冰花的输送，不易卡冰；反之，存在卡口及死弯的河段，就易卡冰结坝，壅高水位，威胁防凌安全。

上游宁夏、内蒙古及下游豫、鲁河段，黄河都是由低纬度流向高纬度，进入冬季后，在封河发展期，高纬度河段首先流凌封河，而低纬度河段由于气温较高，仍处于淌凌期间，大量冰凌不断流向下游，在弯曲狭窄河段或封冻上首卡塞，甚至形成冰坝，严重阻塞流路，导致水位暴涨，淹没滩地村庄，甚至造成堤防决口。开河期间，低纬度河段冰凌首先开冻，大量冰水拥向尚在封冻的下游河段，如遇上河势、风向等不利因素的影响，河水裹胁大量冰凌壅塞在河槽内，坚硬的大冰块在河道内堆积成冰坝，拦截冰水出路，使上游河道水位迅速抬升，或迫使下游河道猛烈开河，形成武开河局面，凌洪漫滩偎堤，极易造成大堤溃口。

凌汛和伏秋大汛有着显著不同的特点。从凌洪流量看，是沿程递增的，原因是河道在封冻之后，上段冰水受阻，滞蓄在河道内，河道解冻开河时，滞蓄的冰水急剧释放出来，越向下游冰水沿程汇聚越多，往往是一个递增的过程。从水位流量关系看,凌洪流量比伏秋大汛流量小得多,但水位却比伏秋大汛高得多,水位上升速度也快得多,如 1970 年 1 月 27 日,山东省济南老徐庄狭窄河段,在开河时形成冰坝,半天之内水位抬高 3m 多,两天上升 4m 多。

近些年来,在封河初期,通过对刘家峡、三门峡水库的调度,使宁蒙河段和下游河道形成平稳封河,在开河期进行控泄,促使河道槽蓄水量平稳释放,形成文开河等方面,取得了一定的经验,减轻了凌汛威胁。

二、下游水灾

(一)洪水灾害

公元前 602 年(周定王五年)至 1938 年的 2 540 年中,黄河下游河道决口的年份累计为 543 年,由于有的年份一年决溢数次,总计决口 1 590 多次,并有多次大的改道。北夺海河从天津入海,南徙先占淮河,后进长江,江河并流入海。在广阔的黄淮海大平原上,冀、鲁、豫、皖、苏 5 省到处都留下了黄河改道迁徙的痕迹。

黄河因其泥沙多、灾害多而闻名于世,历史上以"善淤、善决、善徙"著称。淤导致决,决引起徙。黄河中上游多年平均带入下游的泥沙约 16 亿 t,约有 1/4 淤积在下游河道中,造成河道过水能力降低,洪水位抬高,形成漫溢决口;河道淤积易造成主流摆动不定,河势游荡多变,出现"斜河"、"横河",顶冲堤防,造成冲决;堤防质量差,隐患多,在高水位作用下,易形成溃决。巨量的泥沙淤积,使下游河床逐年抬高,形成河槽高于两岸地面的"地上悬河",堤防一旦决口后,都难以自然回归原河道,特别是当河道淤积达到一定的程度,河床抬升到一定的高度时,口门无法堵复,即便是人力也很难使其回归原河槽,水流必然另辟新道入海,从决口处形成河流改道。

黄河下游由于是地上"悬河",大堤决口后,洪水一泄千里,水冲沙压,河道淤塞,田地沙化,房屋人畜漂没一空,广大平原沦为泽国,一片汪洋。常常有整个村庄、城镇或城市大部分被淤埋,给人民带来巨大的灾难。

从历史洪水灾害发生的情况和所造成的后果来看,黄河洪水灾害有以下特点:决口频次高,淹没范围大,灾情重,经济损失大,对环境破坏大,影响深远,恢复时间长,有的甚至难以恢复。特别是决口改道,更可能引发海河或淮河洪水灾难及环境灾害。

(二)冰凌洪水

黄河下游自兰考东坝头以下,河道由东西方向转向东北,每年进入冬季时,靠近河口的河段首先结冰封河,上游由于气温较高,尚未封冻,大量冰凌不断排往下段,在封河段上下插塞,形成冰坝,壅高水位,造成灾害;而开河时,上段先开,下段后开,流冰堆积,形成凌汛。因此,黄河下游的凌汛灾害也很严重。据有关方面统计,1875～1955年的81年中,下游凌汛决溢的有29年,平均不足三年发生一次凌汛灾害。

三、上中游水灾

黄河流域的水灾,除下游发生决溢灾害外,在上中游地区亦有暴雨形成的山洪引起的灾害。主要发生在兰州市河段及宁蒙河段的河套平原。

对宁夏、内蒙古威胁比较大的是冰凌洪水。宁夏黄河河段流向为自南向北,石嘴山河段基本上每年都封河,石嘴山站多年平均在12月26日封河,次年3月7日开河,多年变幅在40天左右,冰厚0.5m左右。内蒙古河段是黄河纬度最高的河段,为稳定封冻河段。每年封河时自下游而上游,开河为自上游而下游。封河一般在12月上旬,封冻天数一般100天左右,最长近140天,结冰厚度一般为0.6m,最大为1.2m。开河一般在3月下旬,开河最低最高水位差为2～3m。冰块面积大小不一,最大为18万m²,在弯道处极易卡冰结坝。冰坝一般长约1km,最长可达6km,最高可高出水面2～4m,造成上游水位急剧上涨,危及堤防安全。1993年12月7日,内蒙古三盛公枢纽下游左岸3km处,在封河期间由于冰凌卡塞,造成堤防决口,损失巨大。因此,防凌是内蒙古自治区黄河防汛工作的一项非常重要的任务。上游水库修建后,每年凌汛期间,黄河防总办公室都要通过水库的调控,减轻内蒙古防凌的压力,但由于河道淤积抬高,防凌仍将是内蒙古今后乃至于更长一段时间内的主要工作。

渭河近百年来,发生过5次较大洪水,各次洪水相隔21～35年。1933年咸阳站洪水流量6 260m³/s,中游段淹耕地、滩地及良田3.3万公顷,危害及冲毁村庄181个。1954年洪水,咸阳站流量7 220m³/s,洪水淹没总面积2.42万公顷,危害及冲毁村庄79个。自三门峡水库建成运用以来,淤积严重,河道排洪能力锐减,洪水位急剧抬升,致使洪水危害较以前显著增加。

第二章　黄河洪水与泥沙

黄河洪水的记述已有 4 000 多年的历史,历代均有大量的黄河洪水泛滥灾害的记载。传说在帝尧时期,黄河流域就经常发生洪水,"汤汤洪水方割,荡荡怀山襄陵,浩浩滔天,下民其咨"(《尚书·尧典》),"洪水横流,泛滥于天下"(《孟子·滕文公上》),反映了当时大洪水的严重情况。

黄河洪水,主要分暴雨洪水和冰凌洪水。暴雨洪水发生在每年夏秋季节,称为伏秋大汛;伏秋大汛的洪水主要来自黄河中游,历史上著名的清道光二十三年(1843 年)大洪水,据调查分析陕县洪峰流量达 36 000m³/s,主要来源于三门峡以上的中游地区。黄河中游有大面积的黄土高原,土质疏松,植被稀疏,每遇暴雨,水土流失严重,常常形成含沙量很高的洪水,流经下游河道,泥沙淤积,使河床形成高出两岸的地上"悬河",极易决口泛滥成灾。

冰凌洪水,主要为上游宁蒙河段与下游豫鲁河段,在宁蒙河段多发生在 3 月份,下游河段多发生在 2 月份,称为"凌汛"。冰凌洪水来势猛,水位高,难以防守。

黄河以多沙难治闻名于世,在历史上决溢改道频繁,计自西汉以来的 2 000多年中,黄河下游有记载的决溢达 1 000 余次,并有多次大改道,其中重大的迁徙 9 次。改道迁徙的范围,西起孟津,北抵天津,南达江淮,纵横 25 万 km²,给人民生命财产带来极为严重的灾难。

泥沙给防洪带来了许多不利因素:黄河下游河道排泄大量泥沙的同时,泥沙淤积使河床不断抬高,排洪能力降低,使下游变成"地上悬河",加大了对两岸的洪水威胁;由于泥沙淤积,河床变形更为剧烈,在高含沙量洪水期间,泥沙大量淤积,使中水流量也可能出现异常高水位,主流摆动频繁,河槽形态剧烈调整,有时形成"横河"、"斜河",增加防洪抢险难度,对防洪安全威胁增大;修建枢纽工程,由于泥沙淤积,引起库容损失和淤积末端上延等,给水库防洪等综合利用带来困难;大量泥沙输入河口地区,造成河口淤积延伸,也影响河道排沙和河口地区的防洪。总之,泥沙是黄河治理开发和防洪的一个重要影响因素,也是洪水危害的主要原因。

黄河是一条极其难治的多泥沙河流,经过长期的治黄实践,逐步加深了对黄河洪水泥沙运动规律的认识,积累了治理经验,黄河下游防洪、防凌取得了显著成效,但是,黄河洪水泥沙还未得到完全控制,河道仍呈继续淤高趋势,防洪问题依然很突出。要解决这一问题,必须了解水沙运行规律和河床冲淤演变规律,因势利导,在上中下游采取多种措施和途径逐步解决泥沙危害;同时,还要看到泥沙可利用的一面,使黄河水沙资源在上中下游都有利于生产,逐步解决泥沙问题。

第一节 洪水来源

一、洪水来源

黄河洪水有 5 个来源区,即兰州以上地区,河口镇至龙门区间,龙门至三门峡区间,三门峡至花园口区间及下游汶河流域。

(一)兰州以上洪水

兰州以上洪水,多由强度小、面积大、历时长的连阴雨所形成。洪水主要来自吉迈至唐乃亥近 8 万 km^2 的地区,兰州实测最大流量为 1946 年的 5 900m^3/s。据洪水资料统计,兰州站洪峰历时一般 20～40 天,最长 66 天,洪水总量 60 亿～100 亿 m^3。1981 年 9 月大洪水,降雨自 8 月 13 日～9 月 13 日历时 32 天,降雨量在 100mm 以上的面积约 12 万 km^2,降雨中心久治站最大日雨量 43mm,总降雨量 313mm,吉迈站洪峰流量 1 240m^3/s,玛曲站洪峰流量 4 470m^3/s,唐乃亥站洪峰流量 5 570m^3/s。唐乃亥以下是当时正在施工的龙羊峡水库,由围堰拦蓄洪水近 10 亿 m^3,出库最大流量削减为 4 570m^3/s。龙羊峡至刘家峡区间无洪水加入,为确保水库安全,刘家峡水库提前加大泄量,最大出库流量 4 870m^3/s,加上湟水、大通河来水,兰州站 9 月 5 日洪峰流量 5 160m^3/s,45 天洪量 162.0 亿 m^3。

(二)河龙间洪水

河龙间水土流失严重。洪水主要由暴雨形成,多发生在 6～10 月,较大洪水和大洪水主要产生在 7～9 月。这一地区的暴雨特征是强度高、历时短,形成涨落迅猛、峰高量小、含沙量很高的洪水。洪水历时,吴堡为 16～68 小时,龙门为 20～80 小时;上涨历时,吴堡为 2～21 小时,龙门为 2～30 小时。这一区间的洪水又分为吴堡以上和吴堡以下两个来源区。

吴堡以上的上段有天桥水库控制。天桥以上洪水主要来自红河、偏关河及黄甫川几条较大支流,尤以黄甫川的洪水泥沙对天桥水库威胁较大。黄甫川实测最大洪峰流量10 600m³/s(1989年7月),实测最大含沙量1 570kg/m³(1974年7月)。天桥以下洪水主要来源于孤山川和窟野河等支流,孤山川实测最大洪峰流量10 300m³/s(1977年8月),实测最大含沙量1 300kg/m³(1976年6月);窟野河实测最大洪峰流量14 000 m³/s(1976年8月),实测最大含沙量1 700kg/m³(1958年7月)。因此,吴堡的洪水主要由天桥水库下泄流量及孤山川和窟野河等支流洪水形成,其中一个支流的洪水就可以形成吴堡大于10 000m³/s的洪峰,各支流常常同时发生洪水,但由于洪峰尖瘦,不易完全遭遇。

吴堡至龙门区间洪水主要来自无定河、清涧河、延水、三川河和昕水河5条支流。根据多年实测资料统计,这5条支流均未发生过大于10 000 m³/s的洪峰流量。因此,龙门的大洪水主要来自吴堡以上。

(三)龙三间洪水

龙三间洪水主要来自泾河、渭河、北洛河流域。汾河流域已修建了许多大中型水库,洪水主要为水库拦蓄,汇入黄河的洪水很小。泾河、渭河、北洛河洪水主要来自泾河张家山,渭河咸阳及北洛河交口河以上,均由强度较大的暴雨形成。泾河洪水一般峰高量小,渭河洪水相对峰低量大。华县一次洪水历时60~108小时。北洛河洪水峰高量小。各河洪水含沙量都很大。

(四)三花间洪水

三花间洪水主要来自洛河、沁河、三门峡至小浪底区间(简称三小间)及小浪底至花园口区间(简称小花间)。洪水均由强度较大的暴雨形成。由于三花间石山区和平原区占55.4%,并且植被较好,洪水含沙量较小。三花区间内除有陆浑、故县2座大型水库外,尚有中小型水库500余座,总库容约33亿m³,对拦蓄降雨径流和减小洪峰流量有很大作用。1982年8月洪水(简称"82.8"洪水),三花间5日平均降雨量264mm,7日洪水总量32亿m³;1958年7月洪水(简称"58.7"洪水),三花间最大5日平均降雨量155mm,两次洪水相比,前者降雨量是后者的1.7倍,而前者洪水总量仅为后者的1.2倍,洪峰流量前者为11 000m³/s,后者则为16 000m³/s,其原因除前者前期比较干旱,暴雨时空分布比较分散,降雨中心不同及伊洛河夹滩地区决口滞洪影响较大外,水库的拦蓄也是一个重要因素。

1.伊洛河洪水

伊洛河洪水由伊河及洛河洪水组成。伊河上游有陆浑水库,洛河上游有故县水库,库容分别为13.8亿m³和11.7亿m³,来自水库上游的洪水大部分蓄在库内,下泄流量很小。如"82.8"洪水,伊河陆浑水库入库洪峰流量超过

4 000m³/s,水库最高水位 311.61m, 相应蓄水量 4.58 亿 m³,下泄最大流量仅 890m³/s。有的洪水主要产生于陆浑至龙门镇之间。如"58.7"洪水龙门镇洪峰流量 6 850m³/s,其中,陆浑至龙门镇区间来水近 6 000m³/s。

伊洛河夹滩地区滞洪是影响伊洛河洪水的重要因素,削峰作用很大。"82.8"洪水,伊河龙门镇洪峰流量 2 900m³/s,洛河白马寺洪峰流量 5 400 m³/s,经夹滩决堤滞洪后,黑石关洪峰流量仅 4 100 m³/s,削峰率很高。另外,流域内有中小型水库 300 多座,对削减洪水也有一定作用。

2.沁河洪水

沁河洪水主要来自上中游及支流丹河。丹河已修建了许多中小型水库,特别是任庄水库和青天河水库,拦洪作用较大。"82.8"洪水,沁河洪峰流量超过历史最高实测记录,五龙口洪峰流量为 4 280m³/s,武陟洪峰流量为 4 130m³/s,丹河山路平相应流量为 450m³/s。

3.三小间洪水

本区洪水由暴雨形成,洪水特点是峰高、量小、历时短,洪水受降雨强度和降雨的时空分布影响很大。如"58.7"洪水,区间 5 天平均雨量 180mm,降雨比较集中,强度大,有两个雨峰。第一个雨峰历时 12 小时,中心最大雨量垣曲 190mm,平均降雨强度 15mm/h,区间形成净峰流量约 5 200m³/s,第二个雨峰历时 6 小时,中心最大雨量 245.5mm,平均降雨强度 40mm/h,区间形成净峰流量 10 500m³/s,径流总量共 4.5 亿 m³。

4.小花间洪水

本区紧邻黄河下游,大部分地势平坦,一般暴雨产流较少。"82.8"洪水平均雨量 324mm,径流量约 7 亿 m³,洪峰流量达 3 000m³/s,为有记载以来的最大区间洪水,与小浪底和伊洛河、沁河洪水组成花园口洪峰流量 15 300m³/s。

(五)汶河洪水

汶河是黄河下游的最大支流。汶河洪水由暴雨形成,汛期雨量丰沛,流域出口站戴村坝实测最大洪峰流量 6 930m³/s(1964 年 9 月 13 日),径流总量 7.5 亿 m³。流域内修建有大、中、小型各类水库 100 余座,控制流域面积近 3 000km²,占流域总面积的 33%,大中型水库多在汶河干支流上游,对本流域的洪水影响较小。

汶河洪水首先进入东平湖水库滞蓄,然后汇入黄河,由于黄河河道逐年淤积,当黄河水位较高时,便会顶托湖水,影响东平湖出流。

二、洪水组成

黄河下游较大洪水和大洪水主要来源于河龙间、龙三间和三花间 3 个地区。三门峡以上的大洪水,称"上大洪水";三门峡以下的大洪水,称"下大洪水"。三门峡上、下共同来水组成,称"上、下较大型洪水"。

(一)上大洪水

以三门峡以上为主形成的大洪水,一般三门峡洪峰流量占花园口洪峰的80%左右,洪量占80%~90%,其特点是洪峰高、洪量大、含沙量大,对下游威胁严重。

历史调查1843年特大洪水,陕县洪峰流量36 000m³/s,1933年陕县实测大洪水,洪峰流量22 000m³/s,同为上大洪水的典型。当发生上大洪水时,三花间一般流量不大,1933年大洪水期间,三花间未来洪水。

(二)下大洪水

以三花间为主所形成的大洪水,三花间洪峰流量占花园口洪峰的70%左右,洪量占50%~60%,其特点是,涨势猛、洪峰高、含沙量小、预见期短,对下游威胁最为严重,如1761年、1954年、1958年、1982年洪水。

一般情况下,三花间发生大洪水时,三门峡以上多有一般洪水加入。如"58.7"洪水,花园口洪峰流量22 300m³/s,三门峡站来水流量为6 400m³/s。

(三)上、下较大型洪水

由三门峡上、下共同来水组成,称"上、下较大型洪水"。其特点是洪峰较低,历时较长,含沙量较小,对下游亦有相当威胁,如1957年、1964年洪水。

三、洪水传播时间

洪水传播时间与流量大小、河道比降、断面形态和糙率等因素有关。

(一)上游洪水传播时间

一般洪水,兰州至河口镇的洪峰传播时间一般为9~12天。

(二)北干流洪水传播时间

河口镇至龙门传播时间约48小时,龙门至潼关传播时间约12小时。

(三)渭河、北洛河洪水传播时间

渭河咸阳至华县的传播时间一般15~20小时;华县至潼关一般8小时左右,北洛河洑头至潼关一般16~24小时。

(四)三门峡库区洪水传播时间

建库前潼关至三门峡洪水传播时间12小时。水库低水头运用以后,库区洪水传播时间为12~18小时。

(五)三花间洪水传播时间

三门峡出库洪水到达花园口的传播时间一般为1天左右。其中三门峡至小浪底为 10 小时左右,小浪底至花园口为 14 小时左右。伊洛河黑石关和沁河小董站洪水传播时间分别为 8 小时和 5 小时。

(六)黄河下游洪水传播时间

黄河下游河道冲淤变化剧烈,河势游荡,加之滩区生产堤的影响,洪水传播时间很不稳定。

根据实测资料统计,花园口至利津洪峰流量传播时间为 55~183 小时,平均 93 小时。花园口洪峰流量大于 10 000m³/s 的洪峰传播时间平均为 155 小时。

第二节　洪水特性

一、洪水特性

黄河洪水因其来源不同,洪水特性也各不相同。黄河上游的洪水特点是洪峰低,历时长(一般 40 天左右),洪水过程为矮胖型,含沙量小。大多年份兰州以上的洪水一般只对下游洪水起抬高基流、加大洪水总量的作用。自上游梯级水库修建之后,这种情况已大为减少。

黄河中游伏汛和秋汛洪水总的特点有所不同。伏汛(7、8 月份)洪水,暴雨强度大、历时短,再加上绝大部分降雨区为黄土高原、沟壑纵横、支流众多、汇流条件好,故形成的洪水特点是:洪峰高、含沙量大。秋汛(9、10 月份)洪水,降雨多为强连阴雨,强度相对较小,而且降雨区主要在石山区所占比重较大的渭河和伊河、洛河流域。因此,洪峰型式较为低胖,含沙量比伏汛洪水小。

黄河下游汶河流域,洪水特点是:洪峰形状尖瘦,含沙量小。由于汶河流域总面积仅 8 633km²,洪水来量不大,一次洪水对黄河下游防洪构不成直接威胁。

二、典型年洪水简况

(一)1933 年洪水

1933 年 8 月 10 日,黄河陕县水文站发生了自 1919 年建站以来的一次最大洪水。这次洪水主要来自黄河中游河口镇至陕县区间,其暴雨分布呈西南东北向,东至汾河上游,西至渭河上游,以及黄河上游的庄浪河、大夏河和清水河等流域。这次暴雨绝大部分降在植被差、水土流失严重的黄土高原区,洪水含沙量大,陕县站最大含沙量达 519kg/m³,最大 12 天沙量达 21.1 亿 t。

经实测及事后调查,8月5日~10日共有两次降雨过程。第一次发生在8月6日~7日凌晨,第二次发生在8月9日,雨区主要在渭河上游及泾河中上游。整个雨区约10万 km²。暴雨中心有4处:一是渭河上游的散渡河、葫芦河;二是泾河支流马莲河的东川、西川;三是大理河、延水、清涧河中游一带;四是三川河及汾河中游。降雨量最大者为清涧河清涧站8月5日~8日,4天降雨255mm;其次是无定河绥德站,最大一日(8月6日)雨量71mm。

这次洪水,在泾河、渭河及黄河河口镇到龙门区间都先后出现两次洪峰。泾河张家山站8月8日14时出现9 200m³/s洪峰,渭河咸阳站8月8日17时出现4 780m³/s洪峰。黄河龙门站8日14时出现12 900m³/s洪峰,9日5时又出现13 300m³/s洪峰。干支流洪峰汇合,形成陕县站8月10日最大洪峰流量22 000m³/s。第二次洪峰泾河张家山站10日17时流量7 700m³/s,渭河咸阳站11日19时洪峰流量6 260m³/s,干流龙门站10日6时出现7 700m³/s的洪峰,干支流的第二次洪峰使陕县站22 000m³/s洪峰后退水流量加大,洪水过程延长。洪峰到达下游,在长垣大车集上下至石头庄一带决口33处,溃水沿北金堤至陶城铺退入黄河,右岸在兰封小新堤、考城四明堂、东明庞庄决口,水分3路,汇入南四湖。

(二)1958 年洪水

1958年汛期洪水次数多,花园口站出现5 000m³/s以上洪峰13次,10 000m³/s以上洪峰5次,其中以7月17日24时出现的22 300m³/s为最大,是1919年有水文记录以来实测的最大洪水。

7月15日台风自广东登岸,自东南沿西北顺坡上爬,形成了黄河流域中下游相继连降暴雨,尤以陕(州)秦(厂)间干流及伊河、洛河雨量最大。7月12日~18日,包头至花园口间的广大地区,除渭河上游及泾河、汾河上游部分地区外,降水量在50mm以上的面积为24.4万 km²,100mm以上的面积达10万 km²,暴雨中心在三门峡至花园口间。洛河支流涧河上的仁村,最大24小时雨量达650mm;实测最大降雨量为垣曲气象站,7月16日雨量达366.5mm。因此,形成花园口22 300m³/s洪峰流量。花园口洪峰流量的组成是:陕县相应流量6 000m³/s,黑石关站相应流量9 200m³/s,沁河小董站相应流量1 100m³/s,小浪底站相应流量17 000m³/s(陕县至小浪底间增加11 000m³/s)。最大洪峰流量主要由三秦间洪水形成,合计相应干支流洪峰流量为27 300m³/s。由于洪峰涨率较大和河滩蓄水影响,至花园口时为22 300m³/s。此次洪水流量大于10 000m³/s以上持续时间达81小时,最大7日洪水总量达61.11亿 m³。其中,来自干流陕县33.17亿 m³,占54.3%;来自洛河黑石关 18.52 亿 m³,占 30.3%;来自沁河小董 2.68 亿 m³,占 4.4%;来自三花干流区间 6.74 亿 m³,占 11%。

这场洪水峰高量大,来势凶猛,一出峡谷,就将京广线老铁路桥冲坏两孔,铁路中断。洪水在东坝头以下,普遍漫滩偎堤,在豫、鲁两省组织的 200 万防汛大军防守下,顺利排泄入海。

(三)1982 年洪水

1982 年 7 月底,第 9 号台风深入黄淮地区,使三花间和黄河中游形成大范围的南北向雨带。这次降雨自西向东先后开始,7 月 29 日下午泾河、北洛河、渭河和山陕间相继降暴雨,7 月 29 日夜间伊河、洛河中游出现暴雨和大暴雨,最大暴雨中心在伊河中游的石锅镇。陆浑、石锅镇 12 小时最大暴雨量分别为 527.3mm 和 652.5mm,连续 5 天最大降水量分别为 766.2mm 和 904.8mm,丹河山路平 5 天最大降水量为 449.8mm。这次洪水,主要来自三花间干支流。三门峡水库下泄 4 840m³/s,由于以下区间加水,8 月 2 日小浪底洪峰流量为 9 340m³/s,同日,洛河黑石关站洪峰流量 4 110m³/s,沁河武陟站洪峰流量 4 130m³/s,干支流洪水汇合后形成 8 月 2 日 19 时花园口站洪峰流量 15 300m³/s 的大洪水。最大 5 天和 12 天洪量分别为 41.19 亿 m³ 和 65.27 亿 m³。

洪水行经下游河道时,除原阳、中牟、开封部分高滩外,其余滩区全部上水,水深一般 1m 多,孙口站洪峰流量 10 100m³/s。为保艾山以下防洪安全,运用了东平湖老湖区滞洪,十里堡、林辛两闸最大进湖流量 2 400m³/s,分洪水量约 4 亿 m³,艾山站洪峰流量削减为 7 430m³/s。8 月 9 日洪峰到达利津站,流量为 5 810m³/s,安全入海。

第三节　泥沙特点

黄河洪水泥沙以量大集中而闻名于世,具有以下特点。

一、洪峰、沙峰出现时间

总的趋势是沙峰落后于洪峰。

(1)吴堡至龙门河段,沙峰落后于洪峰时间,平均由吴堡的 4.9 小时到龙门为 8.4 小时。说明洪峰在向下游演进过程中沙峰滞后的时间加长。

(2)龙门至三门峡河段,河道断面由窄到宽,其沙峰落后于洪峰的时间,平均由龙门的 8.4 小时到三门峡的 25.9 小时,滞后的时间比龙门增加 2 倍多,这主要与龙潼段宽河道滞洪滞沙的影响有关。据统计,一次洪水 5~12 天,该河段平均淤积量为 1.1 亿~1.9 亿 t,占相应来沙量的 27%~30%。该段含沙量平均削减 35.8%,说明河道的调沙作用较大,引起含沙量过程变形。此外,区间泾河、渭河、北洛河加沙也有影响,所以滞后时间加长。

(3)三门峡至花园口河段,因波速与平均流速相近,沙峰与洪峰出现的时间基本没有变化。

(4)花园口至孙口河段为黄河下游宽河道,沙峰落后于洪峰的时间,平均为 1.7 小时,落后时间大为缩短。

(5)孙口至利津河段,属于相对较窄的河段,沙峰落后于洪峰的时间,平均由 1.7 小时增加到 6.9 小时。

二、沙峰沿程演变

从吴堡到利津 1953~1972 年间的 10 次较大洪水的沙峰统计资料来看,沙峰的演进,是沿程递减的。递减的原因主要是河道的滞蓄作用和区间加入低含沙水流的稀释作用。现分段说明。

(1)多沙支流至吴堡河段,受河口镇以上来的低含沙水流的稀释作用影响,各次沙峰均有较大的削减,其削减率平均为 53%。

(2)吴堡至龙门河段,受区间支流加沙的影响,各次洪水沙峰有增有减,但以增为主,其增加率平均为 9.4%。

(3)龙门至三门峡河段,受河道淤积影响,区间有几条大支流加入,相应增加的沙量亦较多,但沙峰仍有较大的削减,平均削减率为 35.8%。

(4)三门峡至花园口段,区间虽有较大支流加入,但来沙很少,沙峰也是减少的,平均削减率为 33.9%。

(5)花园口至利津河段,区间加水加沙很少,沙峰有较大的削减,平均削减率为 50.7%。

三、洪峰输沙量的沿程变化

(1)洪峰期中游龙门至三门峡河段和下游花园口至孙口河段是主要淤积河段,而吴堡至龙门河段和孙口至利津河段的冲淤变化不大。

(2)洪水期间,经过黄河中下游河道的调蓄,洪峰及相应沙峰过程到达山东河段后,明显坦化,水沙关系基本协调,输沙量达到相对平衡。

四、"揭河底"冲刷

在黄河中游的干流和一些多沙支流上,当河床淤至一定高度,又遭遇高含沙量的大洪峰时,往往会发生剧烈的冲刷。在洪峰期很短时间(几小时至数十小时)内,几公里至上百公里河段的河床被大幅度地刷深(一次洪峰可刷深几米乃至近十米)。在冲刷期间,可以看到大块河床淤积物被水流掀起,露出水面高达数米,像是在河中竖起一道墙,几分钟即扑入水中,或者成片的河床淤积物像地毯一样被掀起,漂浮在水面上向下游流动。当地群众把这一跃变式的冲刷叫做"揭河底"。这种现象以龙门至潼关河段发生较多,表现最突出。根据现有实测资料,龙门揭底冲刷的深度可达 9.0m,冲刷长度可达 90km。

"揭河底"冲刷是高含沙洪水水流的巨大能量与河床相互作用的产物。它的产生必须具备 3 个基本条件:首先是水流含沙浓度高,持续时间长,龙门站瞬时最大含沙量大于 $500kg/m^3$,含沙量大于 $400kg/m^3$ 的沙峰应持续 16 小时以上。其次是洪峰流量较大,持续时间较长。根据实测资料,龙门站洪峰流量一般大于 $7\,000m^3/s$,流量大于 $5\,000m^3/s$ 的持续时间在 8 小时以上。再次是当河床横断面形态和纵比降调整达到一定程度,而且河床淤积物具有一定厚度、固结程度较高时,才有可能被成块掀起。

第四节　洪峰编号与洪水预报发布

一、洪峰编号

根据黄河防汛总指挥部的有关规定,黄河汛期洪峰由黄委会水文局按中游和下游分别编号。中游编号站为龙门站,下游为花园口站,其他站洪峰不编号。

当黄河中游龙门站实际出现洪峰流量小于 $5\,000m^3/s$ 时,不编号;等于或大于 $5\,000m^3/s$ 时,按规定编号。

当黄河下游花园口站实际出现洪峰流量小于 $4\,000m^3/s$ 时,不编号;等于或大于 $4\,000m^3/s$ 时,按规定编号。

二、洪水预报的发布

(一)发布权限

黄委会水文局是黄河防汛办公室成员单位,负责黄河流域气象、水文情报预报工作,收集并处理实时水情信息,制作降雨预报、吴堡以下重点控制站洪水预报和花园口站长期径流预报,发布水情日报,定期发布《水情简报》。

黄河中游和下游编号洪峰,由黄河防总办公室统一对外发布。

(二)发布形式

现阶段洪水预报采用 3 种方式发布:一是当花园口站流量在漫滩洪水以下时,除向黄河防总办公室和有关部门"话传"外,在当日水情日报上公布;二是达到漫滩标准以上洪水,以"代电"形式向国家防总和河南、山东黄河河务局发布;三是以预报电码形式电告(电话)使用单位。

第三章　黄河下游防洪

第一节　黄河下游防洪任务及设防标准

一、黄河下游防洪任务

黄河的泥沙之多、含沙量之高,举世闻名。由于泥沙淤积,河床不断升高,黄河下游成为世界著名的地上"悬河",现临河滩面一般高于背河地面3~5m,最大者达10m。洪水全靠两岸堤防约束,一旦决口,将会给两岸广大地区的人民生命财产带来巨大的损失。同时,由于泥沙俱下,淤塞河渠,沙化良田,致使生态系统长期难以恢复,将打乱国民经济的总体部署,影响深远。因此,确保黄河大堤安全,是黄河防汛的首要任务。按照国务院1985年批准的黄河、长江防御特大洪水方案的规定,黄河下游的防洪任务为:"确保黄河花园口站发生22 000m³/s以内洪水大堤不决口,遇特大洪水,要尽最大努力,采取一切办法缩小灾害"。

二、黄河下游堤防及各类工程的防洪标准

(一)堤防

1. 临黄堤

按照"上拦下排,两岸分滞"的防洪方针,黄河下游堤防按防御花园口站22 000m³/s洪水标准设防。

花园口站22 000m³/s洪水的设防流量,根据洪水推演,下游夹河滩、高村、孙口站的设防流量分别为21 500m³/s、20 000m³/s、17 500m³/s。由于艾山以下河道变窄,河道排洪能力减小,艾山、泺口、利津各站的设防流量均为11 000m³/s(下泄黄河流量10 000m³/s,另考虑区间支流来水1 000m³/s),其间多余的洪水,将由东平湖水库分滞。

与堤防设防流量相应的水位称为堤防的设计防洪水位,简称设防水位。由于黄河下游河道冲淤变化迅速,水位与流量的关系很不稳定。在一个汛期

内,同一流量的水位可差$0.7 \sim 0.8$m,甚至更大;同一水位的流量可差$4\,000 \sim 5\,000$m³/s。从防洪安全出发,堤顶的设计高程由设防水位加一定超高,黄河大堤高村以上超高3.0m,高村至艾山超高2.5m,艾山至利津超高2.1m。

花园口站$22\,000$m³/s洪水的重现期,在无水库情况下为30年一遇;三门峡、陆浑、故县3个水库投入运用后,其重现期为60年一遇;小浪底水库运用后,相当于$1\,000$年一遇。但由于黄河下游河道冲淤变化情况复杂,河势游荡多变,在中常洪水时亦可发生因水流直冲大堤造成决口的可能。因此,即使小浪底水库运用后,黄河下游大堤按防御花园口站$22\,000$m³/s洪水水位标准设防,也不能保证黄河下游大堤可以完全防御$22\,000$m³/s以下的各种洪水。

2．沁河堤

沁河堤按武陟小董站$4\,000$m³/s(20年一遇)设防,超过此流量则可启用沁南滞洪区分滞洪水。另外,因沁河口至老龙湾河段受黄河倒灌影响,老龙湾至沁河口段左岸堤防按黄河大堤标准设防。

3．大清河堤防

大清河堤按防御尚流泽站$7\,000$m³/s洪水设防,左右堤超高分别为2.0m和1.5m,超过此流量可利用稻屯洼滞洪区分洪,确保南堤安全。

4．太行堤

按临黄堤标准设防,长垣大车集至王堤口段堤顶超高2.5m,王堤口至封丘后老岸堤顶超高2.0m。

(二)控导护滩工程

黄河下游的河道整治流量一般为$5\,000$m³/s,控导护滩工程的顶部高程,根据河段情况有不同的标准,陶城铺以上河段按当地当年$5\,000$m³/s水位加1.0m的超高;陶城铺以下河段工程顶部高程与当地滩面平。

第二节 黄河下游防洪形势

目前,小浪底水库已基本建成投入运用,下游河防工程标准提高,抗御大洪水能力增强。小浪底与三门峡、陆浑、故县水库联合运用后,可将花园口断面$1\,000$年一遇洪水由$42\,100$m³/s削减至$22\,600$m³/s,按照花园口站$22\,000$m³/s设防,可不使用北金堤滞洪区分洪,同时,东平湖滞洪区的运用几率大为减少。利用小浪底水库死库容拦沙,可使进入下游河道泥沙减少约100亿t,下游河道淤积量减少76亿t,约相当于黄河下游20年的淤积量,在一定时期内,河道的淤积趋势有所减缓。但是,下游防洪形势仍很严峻。

（一）小浪底建成后，下游仍有发生大洪水的可能

小浪底水库建成前，黄河花园口及三花间特大洪水的洪峰流量分别可达到 55 000m³/s 和 45 000m³/s，即使考虑三门峡、陆浑和故县 3 个水库联合调蓄作用，花园口的洪峰流量仍可达到 41 700m³/s，远远超过目前下游河道的设防标准，10 000m³/s 流量以上的洪量仍达到 50 亿～60 亿 m³，大大超过下游滞洪区的承受能力。

作为黄河下游防洪的关键性工程，小浪底水库建成后，虽然其与三门峡、陆浑、故县 4 个水库联合运用，可使下游防洪标准有很大的提高，但是小浪底仍然不能控制小浪底以下伊、洛、沁河的暴雨洪水。而小浪底至花园口的无控制区（即小浪底、陆浑、故县至花园口区间）100 年一遇设计洪水的洪峰流量为 12 900m³/s，考虑该区间以上来水经三门峡、小浪底、陆浑、故县 4 座水库联合调节运用后，花园口 100 年一遇洪峰流量仍达 15 700m³/s，且预见期短，对堤防仍有较大威胁。

仅 2000 年的 7 月，就出现了黄河与大水失之交臂的情形。2000 年 7 月，河南延津县一天 24 小时最大降雨量 494mm。按气象部门规定，24 小时最大降雨量超过 50mm 就是暴雨；超过 100mm，就是大暴雨；超过 200mm，就是特大暴雨。发生在延津县的这场暴雨，3 日最大降雨量达 552mm，再往西偏移 100km，就是小浪底水库控制不住的小花区间。无独有偶，同年发生在淮河流域河南颍河上游的一场降雨，比延津的降雨量还要大，离小花间也只有 100 多 km。如果这种暴雨下到小花区间，就会造成花园口断面发生超过 10 000m³/s 流量的洪水，黄河下游滩区将是一片汪洋，黄河下游大堤将全面偎水，防洪形势将十分严峻。因此，应时刻对黄河防汛的严重形势保持清醒的认识，绝不能认为小浪底水库建成后，黄河防汛已万事大吉，从而麻痹大意，掉以轻心。

（二）泥沙问题在相当长时期内难以根本解决，历史上形成的地上悬河局面将长期存在

黄河下游防洪形势的严重性，在于泥沙大量淤积河道，河床不断抬高。根据黄河实测资料分析，目前现行河道滩面高出背河地面 4～6m，局部河段高出 10m 以上。1950～1998 年，下游河道共淤积泥沙约 92 亿 t，与 50 年代相比，河床普遍抬高 2～4m。虽然进行综合治理，大力开展水土保持，是减轻土壤侵蚀和减少入黄泥沙的根本措施，但需要经过几代人长期不懈的艰苦奋斗才能达到显著的效果；利用中游水库拦沙，减淤效果显著，但拦沙期毕竟有限。因此，悬河的严峻形势将长期存在。

总体上看，黄河水资源贫乏。随着国民经济的发展，黄河水资源的供需矛

盾将日益加剧,用水需求已大大超出了黄河水资源的承载能力。80年代中期以来,进入黄河下游的水量偏枯,加上引黄用水量的快速增加,下游断流频繁,加重了下游河道主槽的淤积。1986年龙羊峡、刘家峡水库联合运用后,下游来水过程发生了变化,汛期水量占全年的比例由过去的60%减少到45%;非汛期水量占全年的比例由过去的40%上升为55%。这种变化,虽对缓解下游断流具有有利的一面,但对下游河道输沙却产生了不利影响。由于汛期来水减少和非汛期河道的频繁断流,下游河道主河槽淤积严重,"二级悬河"险象加剧。1986~1997年,黄河下游河槽内年平均淤积2.5亿t,主河槽淤积量占71%。由于主河槽淤积加重,滩槽高差减小,河槽过洪能力降低,平滩流量由过去的6 000m³/s减少到3 000 m³/s,造成了"小洪水,高水位,大漫滩"的不利局面。花园口站1996年8月流量为7 600m³/s的洪水,水位超过1958年该站流量为22 300m³/s的洪水位0.91m,下游夹河滩以上河段水位全面超过历史最高水位,夹河滩以下52%的河段水位超过历史最高水位,还有41%的河段达历史第二高水位,造成黄河下游滩区大部分被淹,受灾人口107万。

1999年对黄河干流实行水量统一调度以来,断流现象初步消除,但河道流量依然很小,河道萎缩状况未彻底改变。小浪底水库清水下泄有可能使下游平滩流量逐步恢复到4 000~5 000m³/s,甚至更大。但河道排洪能力恢复需要一个过程,且其间的清水冲刷,将使河势变化剧烈,更增加了防洪的难度。

(三)堤防工程存在许多薄弱环节,河道整治工程标准低、不完善

黄河下游两岸大堤是在历代民埝的基础上不断加高培修而成的,基础条件复杂,堤身多为沙质土,历史决口口门多,存在许多险点隐患。1996年洪水过程中,堤防发生渗水、管涌等各类险情170处。近年来,虽然国家加大了防洪投入力度,一大批影响黄河防洪安全的险点隐患得到处理和消除,但截至2000年底,黄河下游大堤仍有340km堤段高度不够,398km堤段没有达到抗渗设计要求,还有部分重大险点没有处理,一遇较大的险情,如抢护不及,就可能造成溃决,酿成重大灾害。

下游河道具有宽、浅、散、乱的特点,河势游荡变化剧烈。实践证明,修建河道整治工程是控制河势,保护堤防的有效手段。目前,高村以下河段河势基本稳定,但高村以上299km河段,由于修建的河道整治工程少,中常洪水时极易发生"横河"、"斜河",大洪水时可能出现"滚河",造成重大险情,严重威胁堤防的安全。尤其是80年代后期以来,黄河下游来水减少,河道萎缩,主槽严重淤积,使这种形势进一步加剧。如1993年9月,在黄河流量为1 000m³/s左右的情况下,开封河段发生"横河",主流顶冲高朱庄,滩地坍塌严重,主流距大堤仅有 80m,其间经 2 000 多军民经过 7 个昼夜抢修了 8 个坝后才使河势得以控制。

黄河下游河道整治工程,包括控导工程和险工两大类。控导工程按修建当年当地河道排洪能力情况设计,由于河床多年淤积,许多控导工程高程严重不足;险工设计高程一般比大堤高程低 1.0m,随着大堤加高,险工也应相应加高加固。另外,由于黄河水流淘刷,处于控导和险工工程基础部分的根石易被冲走,因此若不及时补充,基础一旦被淘空,即使在小洪水和枯水期也极易发生滑动和坍塌等险情。如 1981 年 12 月,山东王家梨行险工就曾发生坝身滑塌险情。因此,对已建河道整治工程要随着河道冲淤变化不断加高或加固根石。但是,截至 2000 年底,大部分险工仍然存在标准低、根石不足的情况,有 4 549 道坝垛急须加高改建和加固根石。

(四)小浪底运用初期下泄相对清水期间,河道险情将有所增加

三门峡水库 1960~1964 年初期运用时,下泄含沙量较小的"清水",使下游约 4 万公顷滩地坍入河中,造成河势大变,险情不断。小浪底水库投入运用后,进入下游的水沙将发生较大的变化,下游河道冲淤及河势会相应调整。特别是在水库运用初期,根据三门峡水库运用经验,出库水流含沙量小,下游河床将冲刷下切,河势变化加剧,滩岸坍塌严重。现有河道整治工程对下泄清水有一个逐步适应和调整加固的过程,工程出现险情的可能性将增加,抢险所用料物也会明显增多,出险部位也较难预料,给防汛抢险增加了困难。

(五)黄河滩区和东平湖滞洪区安全建设须进一步加强

小浪底水库运用初期,预计山东陶城铺以上河段平滩流量将由 3 000m³/s 逐步恢复到 6 000m³/s,漫滩几率减少到 3~5 年一遇;陶城铺以下河段平滩流量也将由现状的不足 3 000m³/s 提高到 4 000m³/s 左右。虽然平滩流量增加,漫滩几率减小,但洪水威胁依然存在。小浪底水库建成后,东平湖滞洪区依然是确保山东艾山以下河段防洪安全的关键工程。但东平湖围坝基础质量差、渗水十分严重,退水不畅,湖区内 11.6 万人的临时迁安和避水工程很不完善。

(六)防洪非工程措施不适应防汛抢险要求

这方面表现出来的主要问题是:水文测报设施、设备陈旧老化,数量不足,洪水预报精度低、预见期短;防汛抢险交通运输条件差,防汛机动抢险队伍数量少、装备不足。

近几年来,国家加大了水文测验设施的更新改造力度,但多年积累的水文测报设施、设备陈旧老化,数量不足的问题依然存在,仍有部分测站的测验基础设施达不到国家标准,且部分测验仪器不能满足黄河防汛的特殊要求。水文预报方面,由于黄河水沙及河道冲淤情况变化复杂,增加了洪水预报难度,因此流量和水位,尤其是水位预报还不能适应需要。防汛决策指挥系统自动化水平依然较低。目前,黄河防汛信息网络还不能适应传送汛情、工情、灾情的影像和图文材料的要求,数据交换处理能力不强,防汛基础数据不全,软件系统功能不完善。

防汛抢险指挥及队伍组织等问题较多,沿黄干部和群众普遍缺乏抗大洪、抢大险的实战经验,尤其是担负防汛组织指挥的行政领导,没有经历过大洪水的考验,缺乏临场组织指挥的实战经验和应变能力,抢险队伍的抢险技术和装备有待提高。另外,适应市场经济新形势的群众防汛队伍的组织形式,还须进一步探索和完善。

第三节　黄河下游各级洪水处理

一、各级洪水处理原则

黄河下游堤防上宽下窄,排洪能力上大下小。按照防洪规划,花园口断面堤防设防流量为 22 000m³/s,而艾山以下窄河道堤防设防标准只有 11 000m³/s。因此,为保证黄河下游堤防安全,对超过堤防设防标准的洪水,须根据黄河防洪工程建设与非工程建设的情况,按照"上拦、下排、两岸分滞"的防洪方针妥善处理。近期,黄河下游洪水的处理原则为:充分利用水库拦蓄洪水;在确保大堤安全的情况下,尽量利用河道排泄洪水;相机运用分滞洪区分滞洪水。主要措施是按照下游堤防及蓄滞洪区工程安全状况和河道排洪能力的要求,根据洪水预报情况,在保证水库工程安全的前提下,尽量使用小浪底、三门峡、故县等水库拦滞洪水,减小进入下游的洪峰和洪量;通过清除行洪障碍和防汛抢险,提高河道泄洪能力,充分利用下游河道排洪入海;对超过河道排洪能力的洪水,运用东平湖等滞洪区分滞洪水。

二、各级洪水处理方案

黄河下游洪水处理工作的主要任务,是做好小浪底、三门峡、陆浑、故县 4 座水库和东平湖、北金堤分滞洪区的防洪调度工作,力争把黄河下游可能发生的洪水损失减小到最低程度。各级洪水处理方案,就是根据设计条件下各种不同量级、不同类型洪水的洪峰和洪量时空分布情况,按照洪水处理原则,合理分配各水库和分滞洪区的滞蓄洪量,确定各个工程的防洪运用方式,如关闸拦洪时机、拦洪时间和开闸泄洪时间和泄洪量等,为汛期洪水实时调度提供指导。目前,调度工作的核心是在保证黄河大堤的安全下,尽量减小分滞洪区的运用几率,同时减小三门峡水库的蓄洪水位,以降低潼关高程,使洪水造成的损失最小。

由于大力加强了黄河防洪非工程措施建设,目前黄河各级洪水处理方案已可通过黄河防洪调度软件由计算机辅助生成,其不但可以按工程的设计运用方式进行常规方案计算,还可根据洪水时给定的工程实际运用条件,生成实时洪水调度方案。

2001年汛前,小浪底水库主体工程已基本建成,泄流系统已全部具备设计运用条件。小浪底水库设计总库容126.5亿m^3,其中,淤积库容75亿m^3,长期有效防洪库容51亿m^3。由于其75亿m^3的淤积库容,设计淤积年限为30年,因此,在小浪底水库近期运用阶段,可利用拦沙淤积库容多拦蓄洪水,减小其他水库和滞洪区的防洪负担。下面对2001年各级洪水处理方案作以介绍。在小浪底库容变化不大的情况下,预计今后若干年内洪水处理方案基本变化不大。

(1)经计算分析,对于"上大洪水",三门峡水库按敞泄滞洪方式运用;当发生10年一遇以上洪水时,小浪底水库须关闸控泄;当发生1 000年一遇洪水时,小浪底水库的蓄水位不超过265m,基本上可以不用东平湖分洪。

(2)对于"下大洪水",当花园口站发生5年一遇洪水时,小浪底水库须关闸控泄;当发生20年一遇洪水时,故县水库需控泄;当发生超过20年一遇洪水时,须使用东平湖分洪(可根据汶河来水及老湖底水情况确定使用东平湖老湖或新湖);发生1 000年一遇洪水时无须使用北金堤滞洪区分洪。"下大洪水"由于小花间来水较大,即使小浪底水库关闭全部闸门,超过20年一遇洪水就必须运用东平湖分洪。

上述各级洪水处理方案,是根据各级频率的各典型洪水设计的洪水过程,按照洪水处理原则进行调洪计算确定的。由于黄河洪水复杂,河道边界条件多变,黄河来水来沙情况目前还不能准确预报,汛期实际洪水过程与设计情况可能不尽相同,并且还有可能发生峰小量大的洪水,也有可能发生高含水量洪水,而且还由于防洪工程还存在一些隐患,易出现非常情况,因此,汛期必须根据洪水预报,在上述洪水处理方案的基础上制定实时洪水处理方案,搞好实时调度。

三、调水调沙

黄河防洪问题的根本问题在于泥沙,泥沙问题的症结在于水少沙多,水沙分布不均,导致黄河下游河道持续淤积。但在特殊的水沙条件下,黄河下游河道也可出现冲刷。据对实测资料的初步分析,对于含沙量小于 $20kg/m^3$ 的低含沙水流,当花园口流量为 $1\,000m^3/s$ 左右时,冲刷可发展到高村,高村以上冲刷较弱,高村以下微淤;当花园口流量为 $1\,000\sim2\,600m^3/s$ 时,高村以上冲刷增强,冲刷逐步发展到艾山,艾山以下明显淤积;当花园口流量为 $2\,600m^3/s$ 左右时,艾山至利津河段微冲;当流量大于 $2\,600m^3/s$ 时,全下游冲刷,艾山至利津河段冲刷逐渐明显。因此,通过调水调沙对不利的天然水沙过程进行人为调节,冲刷河道,减轻下游泥沙淤积。

小浪底水库的兴建,是实现黄河下游防洪减淤的重要举措。小浪底水库设计总库容 126.5 亿 m^3,淤积库容 75 亿 m^3,长期有效防洪库容 51 亿 m^3(其中,调水调沙库容 10.5 亿 m^3)。小浪底水库巨大的库容,不但可以拦蓄洪水,而且可以拦蓄泥沙,其 75 亿 m^3 的淤积库容,把中游来的大量泥沙淤在水库中。同时利用其巨大的调节库容,可对不利的天然水沙过程进行人为调节,进一步减轻下游淤积,可使下游河道 20 年不淤高。小浪底水库的建成,调水调沙的开始,标志着黄河的治理,进入到一个崭新的历史时期。

小浪底水库调水调沙,是一项在世界水利史上具有开创性的工作,其效果如何有待实践检验。下面仅对小浪底近期运用阶段调水调沙设想加以简单介绍。

调水调沙的目的就是利用水库对水沙的调蓄作用,通过人工调节使花园口站不小于 $2\,600m^3/s$ 的流量维持 6 天以上,冲刷下游河道,或避免花园口站出现 $1\,000\sim2\,600m^3/s$ 之间的流量,以防止艾山以下河道淤积。调水调沙一般在花园口流量小于 $4\,000m^3/s$ 的平水期进行。

关于花园口站的调控上、下限流量,主要基于下列因素确定:

(1)小浪底水库初期运用时,出库一般为含沙量小于 $20kg/m^3$ 的低含沙洪水,为避免河南河段现状河势发生剧烈变化,因此,调控上限流量定为 $2\,600m^3/s$。

(2)调控下限流量既要满足供水、灌溉、发电等兴利要求,又不能过大而淤积山东河道。考虑 90 年代汛期花园口断面流量为 $800m^3/s$ 以下时,利津以下断流几率较高,调控下限流量定为 $800m^3/s$。

根据小浪底水库运用方式研究分析,调控上限流量采用 $2\,600m^3/s$ 时,调控库容采用 8 亿 m³ 即可以满足调水调沙运用要求,遇平水或中等偏枯年份,可使 80% 以上的造峰历时延续在 6 天以上。

第四章 黄河下游防洪工程体系

1946年人民治黄以来，黄河下游初步建成了"上拦下排，两岸分滞"的防洪工程体系，见图4-1。防洪非工程措施和人防体系的建设也得到了加强，取得了连续55年伏秋大汛没决口的伟大胜利，扭转了历史上黄河频繁决口改道的险恶局面。

第一节 上拦工程

"上拦"是指利用在中游地区修建的水库工程拦蓄洪水，由在黄河干、支流上先后修建的三门峡水库和伊河陆浑水库、洛河故县水库，正在修建的小浪底水库组成。这些水库不但在控制洪水、调节水沙方面发挥了重要作用，而且还发挥了灌溉、发电、供水等综合效益，促进了经济发展。

一、三门峡水库

（一）水库概况

三门峡水库位于黄河中游河南省三门峡市和山西省平陆县交界处，控制流域面积68.84万 km²，占黄河流域总面积的91.5%，是一座以防洪、防凌为主，兼有灌溉、发电、供水等综合利用的大型水库。

工程于1957年开工，1960年基本建成，当年9月份开始蓄水。到1962年3月，最高蓄水位332.53m，水库"蓄水拦沙"运用一年半时间，库区发生了严重淤积，造成潼关高程抬高，库容损失较快，淤积末端上延，严重威胁到渭河下游的安全。

为了减少库区淤积，1962年3月开始改变水库运用方式，并对枢纽工程进行了改造，使315m高程时的泄流能力增加了2倍。1973年重新安装的第一台机组投入运用以后，采用"蓄清排浑"运用方式，库区年内基本上达到冲淤平衡，既保持了有效库容，又发挥了水库的综合效益。枢纽主要指标，见表4-1。

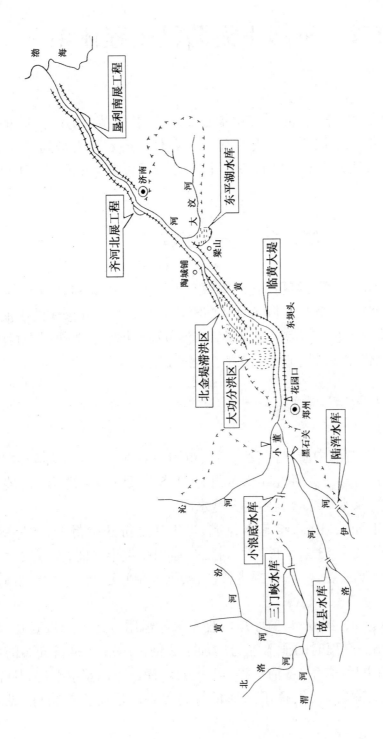

图4-1 黄河下游防洪工程体系

表 4－1　　　　　　　　　　　　三门峡水利枢纽主要指标

序号及名称	单 位	数 量	说 明
一、水文特征			
1.控制流域面积	$\times 10^4 km^2$	68.84	
2.全流域面积	$\times 10^4 km^2$	75.24	
3.多年平均径流量	$\times 10^8 m^3$	424	
4.多年平均输沙量	$\times 10^8 t$	16	
5.设计洪水流量	m^3/s	40 000	1 000 年一遇
6.校核洪水流量	m^3/s	52 300	10 000 年一遇
二、水库特征			
1.设计洪水位	m	335	
2.校核洪水位	m	340	
3.汛限水位	m	305	
5.极限死水位	m	300	
6.总库容	$\times 10^8 m^3$	96	
7.调洪库容	$\times 10^8 m^3$	60	
8.兴利库容	$\times 10^8 m^3$	14	
9.死库容	$\times 10^8 m^3$	0.1	
10.调节性能为不完全年调节			
三、主要建筑物特性			
1.主坝坝型为混凝土重力坝			
2.坝顶高程	m	353	
3.最大坝高	m	106	
4.坝顶长	m	713.3	
5.双层孔最大泄量	m^3/s	6 420	7 个
6.泄洪底孔最大泄量	m^3/s	1 491	
7.泄洪中孔最大泄量	m^3/s	2 515	1 个
8.泄洪洞最大泄量	m^3/s	2 820	2 个
9.泄洪排沙钢管最大泄量	m^3/s	290	1 个
10.电站装机容量	$\times 10^4 kW$	40	
11.多年平均发电量	$\times 10^8 kW\cdot h$	10～12	

(二)管理体制

三门峡水利枢纽管理局于 1983 年 7 月成立,隶属黄河水利委员会领导。管理局机关分 13 个部(室),下设工程管理分局、水电厂、水电公司、经营公司、明珠宾馆、铝厂。

在管理运用中,注重技术管理。根据黄河防汛的需要,结合三门峡工程实际,逐步对工程项目进行技术改造。

(三)调度运用原则

1969年在河南郑州召开的"四省会议",确定三门峡水库的运用原则为:"当上游发生特大洪水时敞开闸门泄洪。当下游花园口站可能发生超过22 000m³/s洪水时,应根据上下游来水情况,关闭部分或全部闸门,增建的泄水孔原则上应提前关闭,以防增加下游负担,冬季应继续承担下游防凌任务。发电的应用原则为在不影响潼关淤积的前提下,汛期的控制水位为305m,必要时可降低到300m,非汛期为310m"。

为配合黄河下游防凌,水库在凌汛期间,最高水位控制在326m,凌汛过后,为春灌蓄水可控制在324m。

二、故县水库

(一)水库概况

故县水库位于黄河支流洛河中游的河南省洛宁县境内,距洛阳市165km,控制流域面积5 370km²,占洛河流域面积的44.6%。拦河坝最大坝高125m,水库总库容11.75亿 m³,电站装机容量6万 kW,是以防洪为主,兼有灌溉、发电、供水等综合利用的大型水库。枢纽主要指标,见表4-2。

(二)管理体制

1980年成立黄委会故县水利枢纽工程管理处,1990年11月升级为黄委会故县水利枢纽管理局。管理局机关设10个科(室),下设工程管理分局、水力发电厂、综合经营公司、水库公安分局。

(三)水库调度运用原则

在确保大坝安全的前提下,保证洛河下游的防洪安全,充分发挥水库对黄河下游的防洪作用和兴利效益。具体的运用方式如下:

水库汛期限制水位近期为520m,远期为527.3m。汛期当水库蓄洪水位未达到20年一遇洪水蓄洪库水位538.5m时,控制水库下泄不超过1 000m³/s。当水库蓄洪水位达到20年一遇洪水蓄洪库水位时,其泄洪方式取决于入库流量的大小,当入库流量小于20年一遇蓄洪库水位的泄流能力时,按入库流量控泄;当入库流量大于1 000m³/s时,控泄1 000m³/s,直到水库的泄洪能力小于控泄能力,按敞泄运用;当入库流量大于20年一遇蓄洪库水位的泄洪能力时,按敞泄运用,直到蓄洪水位回降到防洪限制水位。如需要配合三门峡水库、陆浑水库联合运用削减黄河下游洪峰时,防洪调度按黄河防汛指挥部调令执行。

表 4-2　　　　　　　　故县水利枢纽主要指标

序号及名称	单　位	数　量	说　明
一、水文特征			
1. 控制流域面积	km²	5 370	
2. 全流域面积	km²	11 890	
3. 多年平均径流量	×10⁸m³	12.8	
4. 多年平均输沙量	×10⁴t	655.0	
5. 设计洪水流量	m³/s	11 400	1 000 年一遇
6. 校核洪水流量	m³/s	15 300	10 000 年一遇
二、水库特征			
1. 设计洪水位	m	551.02	
2. 校核洪水位	m	548.55	
3. 汛限水位	m	520	
5. 极限死水位	m	495	
6. 总库容	×10⁸m³	11.75	
7. 调洪库容	×10⁸m³	6.77	
8. 兴利库容	×10⁸m³	5.1	水位 534.8m
9. 死库容	×10⁸m³	1.3	
10. 调节性能为不完全年调节			
三. 主要建筑物特性			
1. 大坝坝型为混凝土重力坝			
2. 坝顶高程	m	553	
3. 最大坝高	m	125	
4. 坝顶长	m	315	
5. 溢洪道最大泄量	m³/s	11 436	5孔
6. 泄洪底孔最大泄量	m³/s	982	2个
7. 泄洪中孔最大泄量	m³/s	1 476	1个
8. 电站装机容量	kW	60 000	
9. 多年平均发电量	×10⁸kW·h	1.46～1.72	

三、陆浑水库

(一)水库概况

陆浑水库位于黄河二级支流伊河中游的河南省嵩县境内,距洛阳市67km,控制流域面积 3 492km²,占伊河流域面积 6 029km² 的 57.9%,总库容13.2 亿 m³,电站装机容量 1.045 万 kW,是以防洪为主,结合灌溉、发电、养鱼、城市供水等综合利用的大型水库。枢纽主要指标,见表 4-3。

表 4-3		陆浑水利枢纽主要指标	
序号及名称	单 位	数 量	说 明
一、水文特征			
1.控制流域面积	km²	3 492	
2.全流域面积	km²	6 029	
3.多年平均输沙量	×10⁴t	232	
4.设计洪水流量	m³/s	12 400	1 000 年一遇
5.校核洪水流量	m³/s	17 100	10 000 年一遇
二、水库特征			
1.设计洪水位	m	327.5	
2.校核洪水位	m	331.8	
3.汛限水位	m	315.5	
4.兴利水位	m	319.5	
5.死水位	m	298.0	
6.总库容	×10⁸m³	13.2	
7.调洪库容	×10⁸m³	6.77	
8.兴利库容	×10⁸m³	5.83	
9.死库容	×10⁸m³	1.55	
10.调节性能为多年调节			
三、主要建筑物特性			
1.大坝型式为黏土斜墙沙壳坝			
2.坝顶高程	m	333	
3.最大坝高	m	55	
4.坝顶长	m	710	
5.溢洪道最大泄量	m³/s	3 810	
6.泄洪洞最大泄量	m³/s	1 193	
7.灌溉洞最大泄量	m³/s	419	
6.电站装机容量	kW	10 450	

(二)管理体制

1965～1975 年由黄委会管理,下设陆浑水库管理处;1975～1984 年由洛阳地区管理;1984 年至今由河南省水利厅直管,下设陆浑水库管理局,局下设陆浑水库管理处。

(三)水库调度原则

水库汛期限制水位为 315.5m,防御标准为 10 000 年一遇,相应库水位 331.26m,相应库容 12.137 亿 m³,最大泄量 5 520m³/s。具体运用方式为:

库水位为 315.5～319.97m(相当于 20 年一遇洪水位)时,控泄 1 000m³/s。

库水位为 319.97～322.74m(相当于 100 年一遇洪水)时,输水洞、泄洪洞、溢洪道闸门全开泄洪。

库水位超过 322.74m 时,输水洞、泄洪洞、溢洪道闸门全开泄洪。如果伊河洪水与黄河洪水遭遇,需要配合三门峡水库、故县水库联合运用削减黄河洪峰时,防洪调度按黄河防汛指挥部调令执行。

四、小浪底水库

小浪底水利枢纽位于河南省洛阳市以北 40km 的黄河干流上,上距三门峡水利枢纽 130km,下距黄河花园口约 130km,是黄河干流在三门峡以下惟一能取得较大库容的控制性工程。水库总库容 126.5 亿 m³,其中,淤沙库容 75.5 亿 m³,长期有效库容 51 亿 m³。坝址以上流域面积为 69.4 万 km²,占花园口以上黄河流域面积的 95.1%。大坝为斜墙堆石坝,最大坝高 154m,坝体总方量 4 813 万 m³,坝顶长 1 317m。1994 年 9 月 12 日正式开工,于 1997 年 10 月 28 日实施截流,2001 年建成投入防洪运用。

小浪底水利枢纽工程的开发目标是"以防洪、防凌、减淤为主,兼顾供水、灌溉和发电,蓄清排浑,综合利用,除害兴利"。它的建成,将有效地控制黄河洪水,减缓下游河道淤积。与三门峡水库、陆浑水库、故县水库联合调度,可以使黄河下游防洪标准大大提高,基本解除黄河下游凌汛的威胁。枢纽主要指标,见表 4-4:

表 4-4　　　　　　　　小浪底水利枢纽主要指标

序号及名称	单 位	数 量	说 明
一、水文特征			
1.控制流域面积	$\times 10^4 \mathrm{km}^2$	69.42	
2.全流域面积	$\times 10^4 \mathrm{km}^2$	75.24	
3.多年平均径流量	$\times 10^8 \mathrm{m}^3$	423	
4.多年平均输沙量	$\times 10^8 \mathrm{t}$	15.94	
5.设计洪水流量	m^3/s	40 000	1 000 年一遇
6.校核洪水流量	m^3/s	52 300	10 000 年一遇
二、水库特征			
1.设计洪水位	m	274	
2.校核洪水位	m	275	
3.极限死水位	m	230	
4.总库容	$\times 10^8 \mathrm{m}^3$	126.5	

序号及名称	单　位	数　量	说　明
5. 调洪库容	$\times 10^8 m^3$	40.5	
6. 兴利库容	$\times 10^8 m^3$	51	
7. 死库容	$\times 10^8 m^3$	75.5	
8. 调节性能为不完全年调节			
三、主要建筑物特性			
1. 主坝坝型为壤土斜心墙堆石坝			
2. 坝顶高程	m	281	
3. 最大坝高	m	154	
4. 坝顶长	m	1 317	
5. 正常溢洪道最大泄量	m^3/s	3 764	
6. 非常溢洪道最大泄量	m^3/s	3 000	
7. 输引水道最大输引水量	m^3/s	1 818	
8. 泄洪洞最大泄量	m^3/s	1 632	
9. 泄洪排沙钢管最大泄量	m^3/s	290	
10. 电站装机容量	$\times 10^4 kW$	180	
11. 多年平均发电量	$\times 10^8 kW \cdot h$	51	
12. 灌溉效益	$\times 10^4 hm^2$	267	

第二节　下排工程

"下排"是指在确保大堤安全的前提下,充分利用现行河道排洪入海。下排工程由下游两岸堤防、河道整治工程等组成。

一、黄河下游堤防工程

黄河下游两岸堤防,是在历代堤防和民埝的基础上多次加修而成的。历史上黄河下游洪灾频繁,堤防建设历史悠久,在我国江河堤防中历史最长、规模最大、体系最完善。黄河下游现行河道两岸堤防包括临黄堤、东平湖堤、河口堤、北金堤、展宽堤(包括南展宽堤和北展宽堤)和支流沁河堤、大清河堤等各类堤防长 2 290.851km。其中,临黄堤 1 371.227km,分滞洪区堤防 313.842km,支流堤防 195.367km,渔洼以下堤防 146.21km,其他堤防 264.205km。见表 4－5 及表 4－6。

表 4-5 黄河下游各类堤防情况统计

河 段	堤防类型	堤防名称	长 度(km)
孟津白鹤至垦利渔洼	设防堤	临黄堤	1 371.227
		分滞洪区堤	313.842
		支流堤	195.367
	小 计		1 880.436
	其他各种不设防堤	南、北金堤,障东堤等各类堤	264.205
	合 计		2 144.641
渔洼以下	设防堤小计		79.77
	不设防堤小计		66.44
	合 计		146.21
全下游	设防堤小计		1 960.206
	不设防堤小计		330.645
	合 计		2 290.851

表 4-6 黄河下游临黄堤长度汇总

堤防名称		岸别	起止地点	起止桩号	长度(km)
左临黄Ⅰ		左	河南孟县中曹坡至封丘县鹅湾	0+000~200+880	171.051
贯孟堤		左	河南封丘县鹅湾至封丘县吴堂	0+000~9+320	9.320
太行堤		左	河南长垣县大车集至长垣县苏东庄	0+000~22+000	22.000
左临黄Ⅱ		左	河南长垣县大车集至台前县张庄	0+000~194+485	194.485
左临黄Ⅲ		左	山东阳谷县陶城铺至利津四段	3+000~355+264	350.123
孟津堤		右	河南孟津牛庄至和家庙	0+000~7+600	7.600
右临黄Ⅰ		右	郑州邙山根至梁山国那里	[-(1+172)]~336+600	340.183
河湖两用堤	国十堤	右	国那里至十里堡	336+600~339+826	3.226
	徐十堤		徐庄至十里堡	347+071~339+826 或 (0+000~7+245)	7.245
山口隔堤	银马堤	右	银山至马山头	1+792~0+000	1.792
	石庙堤		银山至石庙	0+000~0+280	0.280
山口隔堤	郑铁堤	右	郑沃至铁山头	2+230~0+000	2.230
	子路堤		子路至元宝山	0+000~0+789	0.789
	斑围堤		斑鸠店至八号屋	0+000~0+528	0.528
河湖两用堤	斑清堤	右	八号屋至清河门	0+000~2+310	2.310
	闸间堤		清河门闸至陈山口闸	0+000~0+625	0.625
	青龙堤		陈山口至青龙山	0+300~0+000	0.300
右临黄堤Ⅱ		右	济南郊区宋家庄至垦利县二十一户	[-(1+980)]~255+160	257.140
合 计					1 371.227
说明	1. 左临黄Ⅰ中间断开两段:15+600~42+374,65+414~68+469,共长 29.829km
	2. 左临黄Ⅲ计入济阳 178+150~178+950 及滨州 273+700~279+960,改直段 0.550 km 和 4.447km
	3. 右临黄堤计入三义寨渠堤防 3.481km 和东明 200+080~202+375,菏泽 219+600~221+040 改直段新堤岸 1.513km 和 1.185km
	4. 济南槐荫区临黄堤 1999 年增加 550m

(一)左岸临黄堤

左岸临黄堤分上、中、下3段,总长715.659km。上段起自河南孟州中曹坡,经孟州、武陟、原阳至封丘鹅湾村,长171.051km。其中,孟州、温县境内的堤防,分别修筑于清乾隆二十一年(公元1756年)和二十三年(公元1758年);武陟境内东唐郭至沁河口,沁河口至詹店的堤防分别修于清嘉庆二十一年(公元1816年)和清雍正元年(公元1723年);原阳、封丘县境内的堤防系明弘治三年至七年(公元1490~1494年)先后由白昂、刘大夏所修。中、下两段堤防均为1855年铜瓦厢决口改道后修建完善的。中段起自长垣大车集,经濮阳、范县、台前至山东阳谷县境内的陶城铺,长194.485km。下段由陶城铺经东阿、齐河、历城、济阳、惠民、滨州至利津四段村,长350.123km。

(二)右岸临黄堤

右岸临黄堤也分上、中、下3段,长616.24km。上段孟津堤防,自牛庄至和家庙长7.6km,始修于清同治十二年(公元1873年)。中段自郑州邙山东端经中牟、开封于兰考四明堂入山东境,经东明、菏泽、鄄城、郓城至梁山国那里,长340.183km。下段自济南起,经天桥、历城、章丘、邹平、高清、滨州、博兴、东营至垦利二十一户村,长257.140km。其中郑州保合寨至中牟杨桥段为清康熙二十一年至三十八年(公元1682~1699年)所修;中牟九堡至东坝头段修于明代(公元1521~1571年);东坝头至袁寨段原为明清黄河左堤,1855年铜瓦厢决口改道后改作右堤。袁寨以下至二十一户村均为铜瓦厢改道后所修。此外,右岸梁山国那里至济南宋庄之间,还有山口隔堤和河湖两用堤19.3km。

(三)贯孟堤

1921年河南灾区救济会(后改为华洋义赈会)为解决铜瓦厢改道后鹅湾至大车集之间无堤,近河居民屡遭洪灾问题。以工代赈修筑的堤防,亦称华洋小堤。原计划自封丘贯台修至长垣孟岗,故名贯孟堤,因南岸绅民反对,修至长垣姜堂中止。1933年被洪水冲毁,1934年又修复,长9.32km。

(四)北金堤

北金堤修于东汉明帝永平十二年(公元69年),为黄河右堤,亦称古金堤,铜瓦厢决口改道后,成为黄河左岸的遥堤。1951年北金堤滞洪区开辟后,该堤成为滞洪区北界的围堤。目前,北金堤自河南濮阳南关火厢头起至莘县高堤口进入山东境,经阳谷斗虎店向东到颜营,折向陶城铺与临黄堤相接,全长123.3km。高堤口以上39.3km,为河南省管辖;以下83.37km,为山东省管辖。

(五)太行堤

自河南长垣县大车集至长垣县苏泗庄,与临黄堤连接,长22km。

(六)河口堤防

随着黄河入海流路的变迁,河口修有多处堤防,最早起于清同治年间。1976年河走清水沟流路后的现行主要堤防有:自利津四段起向东至防潮堤的北大堤,长38.85km;1968年修筑的上接垦利二十一户临黄堤、下至防潮堤的南防洪堤,长28.60km。

人民治黄以来,黄河下游堤防经过3次较大规模的加高加固(第一次为1950~1959年,第二次为1962~1965年,第三次为1974~1985年7月),形成了目前黄河下游临黄大堤,高度一般为7~10m,最高达14m(原阳堤段),临背河地面高差3~5m,最大10m以上(如开封大王潭),堤防断面顶宽7~15m;临背边坡:艾山以上均为1:3,艾山以下临河边坡1:2.5,背河坡1:3。

二、河道整治工程

河道整治是为了稳定河槽、缩小主槽游荡范围、改善河流边界条件与水流流态而采取的工程措施。

黄河下游河道整治工程是由险工和控导护滩工程组成。险工是依附大堤修建的坝垛护岸工程,顶部高程低于堤顶1m,主要作用是直接保护堤防。纳入整治规划的险工,具有控导河势的作用。控导工程是在滩岸上修建的坝垛护岸工程,顶部高程:陶城铺以上超中水流量5 000m³/s水位1.0m;陶城铺以下与滩面平。主要作用是控导主流,护滩保堤。因都是按规划设计修筑,平面形式规顺合理,控导河势能力强、效果好。

护滩工程也是在滩岸上修筑的坝垛护岸工程,顶部高程与控导工程相同,主要作用是护滩、护村、护码头等。因护滩工程多系在河道整治初期河势变化剧烈时被迫修做的,对河势控导能力较差,仅起维护河势现状、防止恶化的作用。

截至1998年底,黄河下游共有险工207处,坝垛、护岸6 259道,工程长394km,砌护长315km;控导工程204处,坝垛、护岸3 793道,工程长346km,砌护长296km。另外,还有滚河防护工程93处、301道坝,工程长23km。

第三节　分滞洪工程

分滞洪工程是指利用沿河湖泊、洼地或特定划定的地区,修筑围堤及附属建筑物,以蓄滞洪水的工程措施。黄河分滞洪工程有东平湖水库、北金堤滞洪区、南展宽和北展宽工程等组成。

一、东平湖水库

(一)东平湖水库概况

东平湖水库位于黄河下游鲁中山区与鲁西南平原交接地带,属黄河与汶河冲积平原相交的洼地,是黄河下游的重要分洪工程。包括围坝、二级湖堤、进出湖闸及湖区等几部分。水库总面积 627km² (新湖区 418km²,老湖区 209km²),库区内共有乡镇 16 个,行政村 477 个,人口 28.34 万,耕地 3.126 万公顷。水库设计蓄水位 46.00m,设计库容 39.79 亿 m³,近期运用水位 44.50m,相应库容 30.50 亿 m³。

东平湖水库的主要作用是分滞黄河洪水和拦蓄汶河洪水,以控制艾山站下泄流量不超过 10 000m³/s,以确保济南、津浦铁路、胜利油田和两岸人民生命财产的安全。水库建成后曾于 1960 年试蓄水运用和 1982 年分洪运用。

(二)滞洪运用原则

1.运用指标

老湖:起调水位 42.0m,相应库容 3.85 亿 m³,设计运用水位 44.5m,相应库容 8.9 亿 m³,设计分洪能力 3 500m³/s。新湖:起调水位 39.0m,相应库容 0.83 亿 m³,设计运用水位 44.5m,相应库容 21.6 亿 m³,设计分洪能力 5 000m³/s。考虑汶河 12 天来水 10 亿 m³,陈山口、清河门两闸总退水能力为 2 500m³/s,司垓闸设计退水能力为 1 000m³/s。

2.运用方式

水库具体运用方式须根据孙口站洪水流量过程、10 000m³/s 以上洪量及汶河来水确定。当孙口站流量小于 10 000m³/s 时,视下游河道洪水情况、上游后续来水预报及水库和北金堤蓄水情况,东平湖水库适时开始退水,但要求控制大河流量不超过 10 000m³/s。

3.调度权限

东平湖水库的分洪运用,由黄河防总根据洪水情况会商山东省人民政府确定,由山东省防汛抗旱指挥部组织实施。

二、北金堤滞洪区

(一)概况

北金堤滞洪区是防御黄河下游超标准洪水的重要工程措施,位于黄河下游北岸濮阳市以南,处在黄河大堤与北金堤夹角地带。其平面形态上宽下窄呈羊角形,东西长123.3km,西高东低,高差16.2m,纵比降1‰左右。滞洪区总面积2 316km²(其中河南2 223km²,山东93km²),涉及2省7县64个乡,2 121个自然村的157.23万人(含中原油田职工家属6.5万人)。区内有耕地16万公顷。

北金堤滞洪区的主要作用是处理黄河发生的特大洪水,可有效分滞黄河洪水20亿m³。小浪底水利枢纽建成前的运用机遇为60年一遇。到2001年小浪底水利枢纽投入运用后,运用几率将提高到1 000年一遇。滞洪区于1951年开始建设,1977年废除长垣县石头庄溢洪堰,建设渠村分洪闸,改造滞洪区。目前,滞洪区内修建有一定数量的避洪设施,如撤退道路、转移桥梁、避水堰台、漂浮救生工具等,但与规划要求还有较大的差距。北金堤滞洪区开辟至今,还没有运用过。

(二)滞洪运用指标和原则

1.运用指标

北金堤滞洪区总库容27亿m³,考虑金堤河来水7亿m³,滞纳黄河洪水20亿m³。渠村闸分洪能力10 000m³/s。末端张庄闸设计过流能力1 000m³/s;闸北预留临时破堤口门宽300m,设计退水能力约2 000m³/s。

2.运用原则

当花园口站发生22 000m³/s以上洪水,三门峡水库、故县水库、陆浑水库拦洪,东平湖水库充分运用后仍无法解决时,报请国务院批准,运用北金堤滞洪区滞洪。分洪时机一般控制在高村站流量涨至20 000m³/s时,分洪后大河流量控制在16 000～18 000m³/s。分洪后主流沿回木沟、三里店沟直达濮阳南关,然后顺金堤河向下演进,一般3～5天传播至张庄闸。从第7天开始相机退入黄河。

黄河北金堤滞洪区的滞洪运用需经国务院批准。具体运用方式为:

根据花园口站洪水实况,预报孙口站洪峰流量大于18 500m³/s或10 000m³/s以上洪量大于东平湖蓄洪库容时,须使用北金堤滞洪区滞洪。

渠村闸分洪具体运用时机及分洪过程将根据来水过程和超东平湖防洪库容的水量确定。

当艾山流量退落到10 000m³/s以下时,使用张庄闸或预留口门进行退水,但须控制艾山站流量不超过10 000m³/s。

三、北展宽滞洪区

(一)概况

黄河北展工程位于德州市齐河县和济南市历城、天桥区境内,1971 年 10 月动工兴建,1982 年基本建成,总面积 106km²,平均宽度 3km,堤线长度 37.78km(临黄大堤桩号为 102＋002～140＋762),最大库容为 4.75 亿 m³,有效库容 3.9 亿 m³,设计末端滞洪水位 31.58m(大沽高程,下同)。区内有耕地面积 0.343 万公顷,109 个自然村,人口 4.4 万。建有分、泄洪闸各 1 座,排灌闸 7 座。

北展宽区的任务是解决济南北店子至泺口窄河段的凌洪威胁和防御特大洪水。

北展宽区运用机遇为花园口站发生 1 000 年一遇至 10 000 年一遇的洪水。展宽区建成以来还末运用过。

(二)运用原则

运用指标:有效分洪库容 3.9 亿 m³,最大分洪流量 2 000m³/s。

运用原则:根据国务院 1985 年批准的黄河防御特大洪水方案,当花园口站发生 30 000～46 000m³/s 特大洪水时,除充分利用故县水库、陆浑水库、三门峡水库、北金堤滞洪区、东平湖水库及大功分洪拦洪外,还需要利用北展宽区分洪,控制泺口站下泄流量不超过 10 000m³/s。

第五章　防洪非工程措施

防洪非工程措施是指通过法令、政策、行政管理、经济和防洪工程以外的技术手段,以减少洪泛区洪水灾害损失的措施。防洪非工程措施包括水文、通信、防洪工程管理、河道清障、滩区和蓄滞洪区迁安救护等。

远古年代,人们为避免洪水灾害,择丘陵而居。有的地方"以舟为家",甚至形成水上村镇,这就是适应自然的防洪非工程措施的雏形。防洪非工程措施作为一种概念,是 20 世纪 60 年代初形成的。美国是采用防洪非工程措施比较早、发展较快的国家。1966 年美国总统发布特别命令,进一步确定防洪非工程措施的作用。我国对防洪非工程措施也很重视,1997 年专门颁发了《中华人民共和国防洪法》,将防洪非工程措施以法律形式固定下来。随着科学和经济的发展,防洪非工程措施作为减少洪灾的措施,日益为人们所接受,并将紧密结合防洪工程措施逐步得到充实和发展。

防洪非工程措施种类较多,本章仅介绍水文测报、防汛通信、机动抢险队和抢险料物。

第一节　水文测报

水文测报是防洪的耳目。黄河水文测报历史悠久,早在战国时期就有了观测水位的标尺。北宋时期把一年当中 4 个明显的涨水期定为"桃、伏、秋、凌"4 汛。明万历元年(1573 年)开始建立了快马报汛制度。清康熙四十八年(1709 年)在青铜峡峡口设水志桩测水。民国八年(1919 年)在河南陕县和山东泺口首次设立水文站测报水情,此后又在干支流相继设立了一些水文站、水位站和雨量站。到 1949 年,黄河流域有水文站 25 处、水位站 10 处、雨量站 24 处。其中,属于黄河流域机构管理的水文站有 16 处、水位站 4 处。

1949 年以后,黄河水文建设及测报手段得到迅速发展。1989 年,黄河流域水文站网已有水文站 458 个、水位站 58 个、雨量站 2 376 个。2001 年,仅黄委会所属水文站网已有水文站 116 处、水位站 36 处、雨量站 774 处。站网分布上游稀,中下游密。其中,三花区间密度最大,在 4.16 万 km² 面积内有 39

个水文站和 297 个雨量站,单站控制面积为 124km^2。在水文站网建设的同时,一些高技术含量的仪器设备及时得到应用,改善了水文测报手段。20 世纪 90 年代初建成的三花间实时遥测洪水预报系统,实现了水、雨情信息的自动采集和传输。20 世纪 90 年代中期,三门峡以上地区建成水情数汉传输系统,提高了报汛精度,降低了报汛差错率。2001 年,国家防汛指挥系统榆次水情分中心采用非接触式超声波水位计、超短波雨量计和卫星小站短数据通信等建成的自动测报系统,能够在 20 分钟内完成辖区内水情信息的收集、汇总、校核和预处理。

20 世纪 50 年代以来,黄河流域已建成了一套具有黄河特色的水文测报体系,在历年防洪防凌斗争中发挥了重大作用。

一、报汛站网

(一)站网布设

现行报汛站网是在黄河水文站网基础上建立的。多年来通过对水文站网反复对比分析,逐步选定了包括由水文站、水位站、水库站及雨量站等测站组成的报汛站网,基本上反映了流域的雨水情,较好地满足了防汛的需要。报汛站网分布情况,如表 5-1。

表 5-1　　　　　　　　　　黄河流域报汛站网分布

地　区	面积(km^2)	水文站		总报汛站	
		站数	控制面积(km^2/站)	站数	控制面积(km^2/站)
上　游	367 898	43	8 556	51	7 214
中游三门峡以上	320 523	113	2 836	196	1 635
中游三花区间	41 615	49	849	160	260
下　游	22 407	57	393	75	299
总　计	752 443	262		482	

(二)水文测报

1. 测报项目及手段

水文测报站主要有水文站、水位站、水库站和雨量站。各类测站测报项目为:

(1)水文站。测报水位、流量、含沙量、降雨量、水温、气温、冰情等。提供流域水情及河段内冰情的发展变化,是水情预报及防洪决策的重要依据之一。

(2)水位站。测报水位、降水量、水温、气温、冰情等。在防洪重要的河段及分洪闸前、闸后设置。

(3)水库站。测报库水位、出库流量、含沙量、水温、气温、冰情及闸门启闭等。

(4)雨量站。测报降水量。通过雨量站的时段降雨量资料,即可迅速计算出是否可能有洪水发生。

黄河流域地形复杂,各类站测报条件比较恶劣。目前,测报方式除雨量等智能测量外,大部分仍以人工为主。水文站测验设施比较健全,有过河缆道、浮标投掷器、吊船、机船等,测流采用流速仪法及浮标法。上中游干支流洪水期水深流急,水面飘浮物多,中游含沙量又大,因此,中等以上洪水除上游少数干流站外,一般都只能采用浮标法;下游干流各站全部采用流速仪测流。部分河段河道宽浅、水流分散,施测十分困难,特别是洪水漫滩以后,水面宽可达数公里,水浅、障碍物多,行船困难,有时只能涉水施测,测流历时长,也影响测流质量。目前,流速仪测流精度可达95%以上;浮标法由于受浮标系数、借用过流断面等因素的影响,一般精度在90%左右。

2.测报等级及起报标准

测站测报等级分为6级,各级每天测报的次数为:1级为1次,2级为2次,3级为4次,4级为8次,5级为12次,6级为24次。各项标准是:

(1)降雨测报。上游定为1级,起报标准为5mm,每日8时定时测报日雨量。中游三门峡以上地区定为3级,起报标准为5mm,每日2时、8时、14时、20时定时观测,8时定时拍报;累积时段雨量达10mm以上,定时拍报;2小时降雨量达20mm以上时,按暴雨加报。三门峡以下及下游地区定为5级,起报标准为1mm,每天定时观测12次,时段为2小时,每日8时拍报日雨量;累积时段雨量10mm以上定时拍报。

(2)水位、流量及含沙量测报。上游站平水期按1级测报,洪水期测报洪水过程。中下游地区,主要控制站平水期每日8时、20时定时测报,多数支流站不达起报标准不报;洪水期视洪水大小,分别按2~6级测报,同时规定加报标准,以减少不必要的测报;有的支流站只规定报洪峰及洪水过程。黄河下游干流站,洪水漫滩以后按6级测报,达加报标准时每小时报1次,水情紧急时每半小时加报1次或随时查询。

(3)凌汛期凌情测报。凡规定测报凌情的站,每日8时按规定项目拍报,凌情有显著变化时及时加报。

(三)重点报汛站

黄河防洪的重点在下游,而黄河下游洪水主要来自中游。因此,黄河中下游能及时反映洪水动态的河道测站对黄河防汛非常重要,被列为重点报汛站。这些重点报汛站的测洪设施、测洪方案、测验断面情况,如表 5-2。

表 5-2　　　　　重点报汛站测洪设施、测洪方案、测验断面情况

站　名	主要测验设施设备	测洪方案	测验断面情况
龙门	电动吊箱 1 处,流速仪缆道 1 处,浮标投掷器 1 处	①确保测洪流量 25 000m³/s ②10 000m³/s 以下用缆道流速仪或吊箱施测 ③10 000m³/s 以上用浮标测速,借用断面	1934 年 6 月设站,1950 年 4 月上迁 200m,1952 年 3 月上迁 7.4km,改名为船窝。1955 年 8 月下迁 5.9km,1974 年 1 月下迁 230m 测验河段顺直,顺直长度约 400m,两岸为岩石陡壁,矩形断面,沙质河床,洪水期冲淤变化大。基本水尺断面上游约 2 000m 处有一石门卡口,河宽约 60m;下游 400m 处有一弯道,下游 1 500m 为禹门口卡口,河宽约 130m,建有公路、铁路桥。弯道和卡口在大洪水时有控制作用
潼关	吊船过河缆 1 处	①确保测洪流量 15 000m³/s ②以吊船测流为主,若吊船不能施测时,桥上放浮标测流	1929 年 2 月设站,1930 年 11 月~1932 年 12 月停测,1933 年 1 月恢复。1933 年 10 月上迁 346m,1942 年 8 月停测。1946 年 12 月恢复并上迁 20m,1949 年 7 月下迁 66m,1953 年 8 月又下迁 124m,1959 年 5 月改为专用水文站。1960 年 11 月下迁 150m,1984 年 1 月下迁 1 380m。1997 年下迁 1 240m 测验河段基本顺直,沙质河床冲淤变化较大
华县	吊船过缆 1 处	确保大堤防洪能力范围内测流	1935 年 3 月设站。测验河段位于 U 型弯道中间,基本断面上游约 100m,下游约 1 000m 各有一弯道,右岸下游约 70m 有护岸挑水石坝十余座。沙质河床,淤冲变化较大,洪水时左岸出现回流
黑石关	电动吊箱、重铅鱼缆道、主槽浮标投掷器各 1 处,9m、3.8m 木船各 1 只	①7 000m³/s 以下用流速仪施测 ②洪水流量超过 7 000m³/s 时,主流用浮标测速,滩区用流速仪测速,争取施测断面 ③10 000m³/s 以上时,用浮标测速,借用断面	1934 年 7 月设站,1937 年 10 月停测。1947 年 1 月恢复并上迁 110m,1948 年 1 月停测。1950 年 6 月恢复并上迁 3 200m,1982 年 1 月断面上迁 120m 测验河段顺直,复式断面,沙质河床,一般为涨冲落淤,基本断面上游约 580m 处有一弯道。中低水主流偏右,高水比较顺直居中。基本断面上游 3km 有石河汇入,下游 3km 有一铁桥,泄水不畅

站　名	主要测验设施设备	测洪方案	测验断面情况
武陟	吊船过河缆 1 处，14m 钢板船 1 艘，7.5m 玻璃钢船 1 艘	①1 000m³/s 以下用流速仪施测 ②流量 1 000～4 000m³/s 用浮标法测速（利用大桥或玻璃钢船），借用断面 ③4 000m³/s 以上，采用比降法估算	1950 年 6 月设站，同年下迁 1 100m，1951 年 7 月 25 日下迁 8m，1967 年 1 月下迁 2 500m。断面在大虹桥村北 测验河段基本顺直，上下游附近均有弯道，沙质河床，复式断面，两岸有大堤，主流摆动，冲淤变化较大，上下游有很大引水渠道，天旱时常河干
花园口	36m、22m 双机船各 1 艘，18m 单机船 2 艘，5m 玻璃钢船 3 艘，气垫船 1 艘，24m 钢标 15 座，8m 水泥杆标志 33 根	①22 300m³/s 以下，在 5 000m 以右行洪可确保测验进行 ②特大洪水时，若 5 000m 以左行洪可分别采用公路大桥的引桥和涵洞或大桥下游的高压线路作断面进行测验 ③在特大洪水时，用邙山、辛寨两处水位与花园口实测流量建立关系推流，作为辅助手段	1938 年 7 月设站，1944 年 4 月停测，1946 年 2 月恢复，1970 年 8 月断面下迁 3 140m。测验河段右岸为花园口险工砌石护岸，左岸为滩地。河床为细沙组成，冲淤变化剧烈，主流摆动频繁。枯水期水流靠右，一般水面宽 500m。水位 92.00m 左右嫩滩部分过水，形成两股水流，水位 94.00m 左右老滩部分地段过水，水面宽 3 000m 以上。大水时流向全河基本一致，退水时流向变化大 测验河段上游有邙山提灌站、人民胜利渠、幸福闸、花园口闸等多处引水口，1985 年于基本断面上游约 1 300m 处新建黄河公路大桥 1 座
夹河滩	36m、22m、8m 机船各 1 艘，5m 钢板船、7m 喷水船各 1 艘，钢塔 12 座	20 500m³/s 以下各级洪水可确保测验	1994 年上迁 10km，基本水尺断面在开封黄河公路大桥下游 562m 处，测验河段内有府君寺和曹岗险工 2 处工程。受工程的影响，中低水时主流左右摆动不定，滩槽冲淤多变，串沟和分流时有发生；较大洪水时，河道顺直长度增加，滩槽水位流量关系将有显著改善

站　名	主要测验设施设备	测洪方案	测验断面情况
高村	22m 机船、18m 双机船、14m 副艇、5m 喷水船各 1 艘，吊船过河缆 1 处	①确保测洪流量 18 000m³/s ②主槽测流利用吊船，当出现漫滩时利用机船测滩地部分	1934 年 4 月设站，1937 年 7 月断面下迁 4 500m，1938 年 5 月因战争停测，1947 年 6 月恢复，1949 年 5 月下迁 3 000m，1949 年 12 月停测，1950 年 4 月恢复并下迁 1 000m 测验河段顺直，复式断面、主槽靠近右岸宽约 700m，河床为沙质，冲淤变化剧烈，主流左右摆动，左岸滩宽约 4 200m，起点距 2 200m 处有生产堤工程。基本断面上游 1.5km 处有一较大弯道，左岸上游 6km 处设有渠村分洪闸，设计分洪流量为 10 000m³/s，闸上游为天然文岩渠退水口
孙口	22m 机船、8m 喷水船、11m 木机船各 1 艘，钢标 15 座，水泥杆标志 11 根，吊船过河缆 1 处	一般情况下，用流速仪法可测到 16 000m³/s 左右；若主槽大幅度摆动，无法吊船时，仍可争取施测，但历时长，精度差	1949 年 8 月设立为水位站，1952 年改为水文站，1960 年又改为水位站，1964 年改为水文站至今 基本断面上下游 1～2km 处各有一弯道，测验全河段呈 S 型，两岸均有石坝控导，河道基本稳定，河床由细沙组成，冲淤变化频繁
艾山	吊船过河缆 1 处，14m 和 10.5m 非机动钢板船 1 艘，斜坡式自记水位计 1 处	方案应能确保 10 000m³/s 流量以下各级洪水测验。2 000m³/s 流量以下用小钢板船施测，2 000m³/s 流量以上用大钢板船施测	1950 年 3 月设站，同年 9 月上迁 750m，1981 年 1 月又下迁 1 125m。断面位于顺直河段中央，右岸只有 50m 左右滩地
泺口	吊船过河缆 2 处，14m 和 10.5m 非机动钢板船各 1 艘。斜坡式自记水位计 1 处	采用吊船施测，保证测好相应艾山 10 000m³/s 流量以下各级洪水	1919 年 3 月设站，1929 年 7 月下行 367m，1934 年 1 月上迁 1 267m，1947 年 5 月上迁 1 115m，1949 年 6 月下迁 1 115m 测验河段较顺直，长约 5km，为复式河槽。主槽宽约 320m，断面上无串沟、岔流、死水、回流等
利津	吊船过河缆 1 处，14m 和 10.5m 非机动钢板船各 1 艘，斜坡式自记水位计 1 处	采用吊船施测，保证测好相应艾山 10 000m³/s 流量以下各级洪水	1934 年 6 月设站，1935 年 4 月上迁 3 600m，1937 年 6 月下迁 277m，1950 年 1 月下迁 1 000m，1956 年 5 月上迁 140m，1960 年 7 月下迁 5 000m，1963 年 1 月又上迁 5 000m 测验河段较顺直，水流较集中，但冲淤变化较大

二、水文信息传输和处理

报汛站采集到的情报,要通过信息传输系统来发送和处理。黄河水情信息传输方式基本有3类:①邮电系统有线电报,目前大多数报汛站通过邮电系统拍报水情,传递时间一般需1~3小时;②黄委会无线通信系统电报,报汛站主要分布在三门峡水库区及三花区间,多数站属有线无线双保险,以无线发报为主;③三花区间实时遥测系统电报,系统自动采集传输数据。

水情信息处理,是指水文部门接收由各报汛站发送的水情电报后,及时进行翻译、登记、制表、填图、存档等处理,并迅速通知防汛部门。水情译电处理已基本实现计算机自动化作业。其主要功能有:①自动进行水情电报翻译和资料存贮;②迅速打印防汛工作所需要的各种报表及绘制雨量等值线图;③迅速、简便、准确地检索流域内雨、水、沙、冰情实况;④通过终端机检索,水情信息可远传北京的国家防总;⑤迅速地实现实时洪水预报。

三、洪水预报

洪水预报,目前仍以常规预报方法为主,如洪峰流量相关、降雨径流相关、马斯京根法河道洪水演算及蓄率中线法水库调洪演算等。同时,结合本地区实际情况研制了一些方法,如干旱半干旱地区产汇流预报方法、黄河下游变动河床水位预报方法、变动河床漫滩洪水预报方法、汾河地区超渗产流流域模型、大汶河复合流域模型等;此外,还引进了一些符合本流域特征的产汇流预报模型,如新安江模型、坦克模型等。在黄河上所采用的预报方法,一般都是从实用出发,既以物理成因为依据,又以大量的实测资料为基础,经过多年洪水预报的检验和反复修订而确定下来,这些方法运用灵活、计算简便、干支流结合、全面配套,形成了一套较为完整的黄河流域实用暴雨洪水和冰情预报方法。

防洪要求水情预报"准确、及时"。所谓准确,就是预报精度要高,允许误差能满足防洪的需要。所谓及时,即有一定的预见期,以满足防洪措施的实现。从预报准确来讲,以现有科学水平和技术条件,可以做到;但是洪水预报的预见期,在黄河下游要增长到足以满足防洪的需要则困难较大。因为,黄河下游的洪水预报受三(门峡)花(园口)间来水的制约。在小浪底水库运用后,三(门峡)小(浪底)间洪水可以控制,但小(浪底)花(园口)间还有约2.7万km²洪水无控制区,降雨径流预报基本上没有预见期。因此,采用任何水文预报方法,都难以增长本区洪水的预见期。目前,黄河下游洪水预报主要采用以下 3 个步骤。

第一步,根据暴雨预报,用降雨径流相关法或流域洪水预报模型预报花园口洪水,预见期 1 天以上。供防汛部门参考。

第二步,根据流域实测降雨量,并参考降雨预报由降雨径流相关法或流域洪水预报模型预报花园口洪水,预报精度可达 80%,预见期 12 小时以上。供防汛部门部署防汛参考。

第三步,洪水已汇入河槽,根据水文站出现的洪峰,用洪峰流量相关法及河道洪水演算,预报下游站洪水,预报精度达 90%,预见期 8~10 小时。作为防汛部门进行洪水调度和指挥抗洪战斗的依据。

洪水预报的发布,一般洪水随水情日报发布。大洪水时,由黄河防总办公室对外发布。

第二节　防汛通信

黄河防汛通信的历史可以追溯到 19 世纪末,当时河防部门就用电话电报传递汛情。到 20 世纪 30 年代,黄河下游两岸已架通了 1 000 多 km 的电话线;新中国成立初期,黄河下游建成郑州至济南有线通信干线 3 400 杆 km,形成了连接河南、山东省各地、县黄河修防单位的有线通信网;20 世纪 60 年代,在架空明线的基础上开通 3 路和 12 路载波电路,改善了通信质量;20 世纪 70 年代,建成了三门峡至花园口区间的短波报汛通信网;20 世纪 80 年代,黄河通信开始了现代化建设,相继建成了郑州—三门峡、郑州—济南、济南—河口数字微波通信线路和黄河数字程控交换网;20 世纪 90 年代,黄河下游先后建成预警反馈、一点多址、无线接入通信系统;20 世纪末,黄河下游又建成了防汛抢险专用集群移动通信系统。目前,黄河通信基本建成了以郑州为中心,以数字微波为主干、无线通信为主体,可上联水利部、国家防总,下接黄河两岸各地(市)、县河务局和沿河各重要水文(位)、雨量站的黄河防汛专用通信网。

黄河防汛专用通信网主要由数字微波系统,短波、超短波无线通信系统,交换系统和移动通信系统组成。

一、数字微波通信系统

数字微波具有通信容量大,抗干扰能力和抗拒自然灾害能力强,工作稳定,噪音小,通信质量高等优点,是黄河专用通信网的主干通道。

(一)郑州—三门峡微波干线

郑州—三门峡数字微波干线是由水利、电力系统联合兴建的一条水电专用通信线路。该线路于1986年12月正式投入运行。主要建设目的是建立水利部到西北地区的水利、电力调度自动化通道,提供黄河防汛和水文、水情预报等联络信道。线路质量标准高于我国邮电部规定的一级线路设计标准。路由站址是:黄委通信总站—河南省电业局—峡窝—五指岭—首阳山—洛阳通信站—大沟口—金银山—马家庄—三门峡供电局—三门峡通信站—三门峡水库;峡窝—焦作;洛阳通信站—洛阳供电局。共13段、14站,线路全长265km。

(二)郑州—济南微波干线

郑州—济南微波干线主要目的是形成黄河下游黄委、省、地(市)局3级信息传输系统。电路设计容量为34MB/S-480路,终端按240路设置。路由站址是:郑州—万滩—开封—封丘—长垣—渠村—刘庄—鄣城—杨集—梁山—银山—铜城—韩刘庄—晏城—泺口—济南。支线电路为渠村—旗阳和万滩—原阳—新乡。干线16个站长400km,支线3个站97km。

(三)微波支线

为满足黄河重要支流、重点水库以及远离干线的重要防汛部门的通信需要,在干线电路建设的基础上,兴建了重要支线电路。

(1)洛阳—故县微波支线。洛—故微波在洛阳与郑州—三门峡微波干线联结,是黄委联系故县水库的通信线路,全线共4站。

(2)郑州—沁阳微波支线。郑—沁微波(经花园口—武陟县黄河河务局)全线共4站,是黄委、河南黄河河务局连结沁河主要防汛部门的通信线路。该电路于1995年延伸至焦作市黄河河务局。

(3)万滩—新乡微波支线。该支线自万滩经原阳至新乡,作为郑州—济南微波干线的分支线路,是黄委、河南黄河河务局连结新乡市黄河河务局主要防汛部门的通信线路,与郑州—济南微波电路同步建设。

(4)渠村—濮阳微波支线。渠—濮微波是郑州—济南微波干线的分支线路,是黄委、河南黄河河务局联系濮阳市黄河河务局和金堤河管理局的防汛通信线路,容量为30路,与郑州—济南微波电路同步建设。

(5)洛阳—陆浑微波支线。洛—陆微波是黄委联系陆浑水库的通信电路,容量为2MB/S-30路,在洛阳进入郑州—三门峡微波干线。

(6)洛阳—小浪底微波支线。洛—小微波是黄委联系小浪底水库的支线电路,设计容量为8MBA-120路。在洛阳进入郑州—三门峡微波。

(7)济南—河口微波支线。济南—河口微波是郑州—济南微波干线的延伸,在泺口与郑州—济南微波接口。它联系黄河济南以下 4 个地(市)局、13个县局、3 个水文站。电路设计容量为 8MBA－120 路的数字电路,全线 8 个站,线路长 200km。

二、短波、超短波无线通信系统

(一)短波通信网

短波通信具有通信距离远、组网灵活的特点,但因不能入交换网,只能用于偏远水文站的报汛和水情电报的传递。应用 10W、15W、150W 短波设备建立的以郑州为中心,覆盖兰州、榆次、三门峡库区及花园口以下各主要水文(位)站的水文预报短波通信网,担负着向郑州报汛、传递水情电报的任务。

(二)超短波通信网

超短波通信系统与短波相比有通信容量较大、通信质量较好、可入交换网等优点。应用超短波通信设备组建了如下分支线路和局部传输网络:①洛阳—小浪底 6 路 400MHz 通信支线,在洛阳接入郑州—三门峡微波;②洛阳—陆浑 6 路 400MHz 通信支线,在洛阳接入郑州—三门峡微波;③河南、山东黄河河务局与地(市)、县黄河河务局间组建的 400MHz 通信网,做为载波网的备用电路和支线电路,以提高信息传输的可靠性;④山西、陕西小北干流黄河河务局分别建设了 150MHz 单信道移动通信网,用于本局防汛通信(目前还未能进入黄河通信网);⑤黄河下游组建的洪水预警报系统,是由设在县级防汛部门的 11 个中心发射机和分布在乡(镇)的 4 860 部相应的接收机构成。在大洪水时,可通过该系统提前发出警报,有组织的转移,以减小灾害损失。

三、交换系统

电话交换系统是黄河通信网的重要组成部分,由黄委会、省、地(市)黄河河务局 3 级交换汇接组成。采用全网统一信号、统一信令、统一标准的现代化程控交换设备。黄委会至水利部间使用卫星电路和电力微波的 6 条长途线路。黄委至各省局、枢纽局及千门以上电话局的中继电路,根据话务量采用 2MB/S－30 路数字中继接口或 8～16 个中继接口联网,地市黄河河务局以下中继线也采取了相应的联接方式。全河共有交换机 80 余部,约 32 350 线。各交换网除在黄河专用通信网使用外,还进入本地的公用电话网,以实现全国电话直拨。

四、移动通信系统

集群移动通信（简称"黄河通"）系统覆盖黄河中下游南北两岸全部堤防、险工、控导工程，主要用于黄河防汛查险、报险的通信联络，是黄河防汛专用通信网的重要补充。本系统选用台湾东信公司生产的移动通信设备，取代了原Motorola 的 8 基站系统，仍工作在 800MHz 步段，16 组 80 对频率复用，是大区覆盖、多基站、多信道、全河自动漫游、全网统一编号、全双功通话方式的无线移动通信系统，具有选呼、群呼、组呼、优先等级遇忙排队、强拆、强插、紧急呼叫等调度功能。手机具有体积小、重量轻、便于携带、机动灵活等特点。全河共设有郑州、济南、开封、东营等 28 个基站。全网共 270 个信道。其中，郑州 20 信道；济南 15 信道；其余各站为 5～10 信道。全河共发放双工手机3 200 部，双工车台 300 部，覆盖了沁阳以下至入海口的黄河两岸大堤及沁河部分堤防。

除以上系统外，还建设有海事卫星通信系统、一点多址微波通信和县黄河河务局以下 400M 无线接入系统。其中，海事卫星通信系统是为保证在可能出险地段的抢险指挥而建立的，共 15 个卫星机动通信站，租用亚洲 2 号卫星信道通信；一点多址微波通信是在已建的微波干支线基础上，进一步解决地（市）县黄河河务局之间通信而建的，1997 年建成，共有 6 个中心站、11 个中继站、36 个外围站；无线接入系统，主要是解决县黄河河务局以下至河务段、重要工程之间的通信问题，1998 年建成，共有 15 个基站、723 个单用户固定台、15 个多用户固定台、70 部便携台，采用 400M 频率、ETS 无线接入的办法与黄河通信网连接。

多年来，黄河通信网在传递水情、工情，部署防汛工作，指挥抗洪斗争和工程建设，进行洪水调度，组织迁安救护等方面发挥了重要作用。

第三节　机动抢险队

一、机动抢险队组建缘由

黄河下游是举世闻名的地上悬河，一旦决口失事，后果不堪设想。为了适应黄河情况多变、险情复杂、抢险任务艰巨的特点，以及农民外出务工经商，群众抢险队伍难以组织的新情况，需要建设一批机械化程度高、反应迅速、机动灵活、能打硬仗的机动抢险队伍，以保证出现紧急险情时能得到及时有效的抢护,确保黄河大堤不决口。为此,黄委会于1988年4月,根据原水电部的指示精神,决定在黄河下游试组建常设性建制的专业机动抢险队,抢险队员从各修防处段的现有职工中抽调。自此,黄河下游机动抢险队正式成立。

二、黄河下游机动抢险队现状

(一)基本情况

黄委会于1988年汛前分别在河南黄河河务局组建了郑州中牟和新乡封丘机动抢险队;在山东黄河河务局组建了菏泽鄄城和济南天桥区机动抢险队(山东局第一、二机动抢险队)。1991年,两省河务局根据黄委会指示又成立了河南局濮阳机动抢险队和山东局第三机动抢险队(滨州市)。1992年再次组建了4支机动抢险队,分别是位于武陟县的河南黄河河务局焦作机动抢险队;位于开封柳园口的河南黄河河务局开封机动抢险队;位于济南基础工程处的山东黄河河务局第四机动抢险队和位于东平县银山镇的山东黄河河务局第五机动抢险队。1999年,随着黄河防汛形势和防洪工程现状的变化,黄委会又批准两省河务局各成立5支机动抢险队。至此,黄河下游共组建了20支专业机动抢险队,平均每队50人,共1 000人。队员平均年龄40岁以下,每队设队长1人,副队长2人。人员组成:①专业技术人员,包括机械、电气、治河、水工专业人员;②技师,在治河、修防、抢险方面有特长的人员;③技术工人;④汽车司机,汽车司机兼电工、发电机手和维修工。

黄河下游机动抢险队属常年建制,相对独立,人员结构基本上是以各工程队为基础,隶属于地(市)河务局,由省河务局统一调度。

(二)设备配制情况

各抢险队初建时配备了一定数量的挖、装、运、通信和照明设备,但由于设备少,吨位小,不配套,起不到机动抢险队"快速、机动、灵活、高效"的作用。

为改变这种状况,1997年汛前,在国家防总的大力支持下,安排专项资金,进行下游机动抢险队建设。其中,重点装备了河南郑州中牟队、新乡封丘队、山东省河务局一队(鄄城队)、山东省河务局二队(济南天桥队)4支抢险队。每队配备有1部挖掘机、2部装载机、5部自卸汽车、1台推土机(湿地)、1部指挥车、1台发电机组、1部大客车以及炊具等后勤供应保障设备。设备配备后,每队抢护能力达到:每小时在1～2km内运石120～150m³,每小时抛石100～120m³,抛柳石枕8 000～10 000kg。大大提高了抢险队的抢险技术和快速应变能力。

机动抢险队自组建以来,先后参加了数百次重大险情的抢护,在黄河防汛抢险和支援地方抗洪斗争中发挥了重要作用,节约了大量抢险费用,为确保黄河防洪安全作出了巨大贡献。

第四节　抢险料物

一、抢险料物的种类及定额

黄河防汛抢险料物主要由国家储备料物、社会团体储备料物和群众备料3部分组成。国家储备料物,是指黄河河务部门按照定额和防汛抢险需要而储备的防汛抢险物资。主要包括石料、铅丝、麻料、木桩、砂石反滤料、篷布、袋类、土工织物、发电机组、柴油、汽油、冲锋舟、橡皮船、抢险设备、查险用照明灯具及常用工器具;社会团体储备料物,是指各级行政机关、企事业单位、社会团体为黄河防汛筹集和掌握的可用于防汛抢险的物资。主要包括各种抢险设备、交通运输工具、通信工具、救生器材、发电照明设备、铅丝、麻料、袋类、篷布、木材、钢材、水泥、砂石料及燃料等;群众备料,是指群众自有的可用于防汛抢险的物资,主要包括抢险工器具、各种运输车辆、树木及柳秸料等。

各种抢险料物均实行定额储备。国家储备的主要料物定额由黄河防汛总指挥部办公室负责制定。常用工器具定额由各省黄河防汛办公室负责制定,报黄河防汛总指挥部办公室批准;社会团体储备料物和群众备料的数量,由各级人民政府根据当地的防汛任务和防洪预案的要求确定。

二、抢险料物的采集和储备

国家储备防汛料物的采集实行计划管理。20世纪90年代以来,随着市场经济的进一步发展和黄河防汛抢险形势的变化,黄河防总确定主要防汛料物采购面向市场实行招标投标制和监理制。防汛料物的储备实行实物储备与资金储备相结合的方式。市场供应不足、采购较困难的物资,采取实物足额储备;市场供应充足并通过委托、代储等措施能保证供应的,可采取部分储备实物,部分储备资金。仓储实行分散与集中相结合的方式。对于便于调运、仓储条件要求高的大宗防汛物资,采取定点专业库相对集中储备。对于防汛抢险常用、不便调运的防汛物资,采取分散储备。

社会团体储备料物、群众备料采取汛前号料、备而不集、用后付款的办法。储备期一般是每年6~10月份。由当地防汛部门在汛前进行登记落实,汛期急需时加以调用。

第六章　防汛组织与管理

防汛是人类同灾害性洪水作斗争的一项社会活动。《中华人民共和国水法》规定:"各级人民政府应当加强领导,采取措施,做好防汛抗洪工作。任何单位和个人,都有参加防汛抗洪的义务"。"县级以上人民政府防汛指挥机构统一指挥防汛抗洪工作"。对县级以上各级人民政府防汛指挥机构的职责、权限等,都作出了原则规定。1998年颁布执行的《中华人民共和国防洪法》,对防汛的任务、组织、职责等规定的更加明确。黄河多年抗洪抢险的实践证明,建立强有力的防汛组织机构、制定严格的管理制度是做好防汛工作的重要保证。

第一节　防汛组织机构

黄河防汛需要动员整个社会力量,包括沿河各级政府、商业、交通运输业、通信、邮政、部队、城乡居民以及治黄专业部门等共同参加。因此,必须建立强有力的领导机构,统一领导、统一行动,才能保证各项防汛工作顺利进行,夺取防洪斗争的胜利。自1950年开始,根据中央人民政府政务院(国务院前身)决定,在国家防汛总指挥部的领导下,建立了黄河防汛指挥系统。

一、黄河防汛总指挥部

黄河防汛总指挥部由晋、陕、豫、鲁、黄委会、济南军区等组成。总指挥由河南省省长担任,黄委会主任任常务副总指挥。河南、山东、陕西、山西4省主管农业的副省长和济南军区副参谋长任副总指挥,各省的副总指挥对本省的黄河防汛负责,济南军区的副总指挥负责部队参加黄河防汛抢险的组织、协调、兵力部署等工作。其日常办事机构即黄河防汛总指挥部办公室设在黄河水利委员会,由黄委会主管防汛工作的副主任担任办公室主任。

黄河防汛总指挥部的任务是负责黄河下游和中游的防汛工作,每年召开黄河防汛会议,总结上年度防汛经验教训,分析当年黄河防汛形势,研究制定防汛方针、政策,落实任务和措施,部署防汛工作。

上述 4 省和沿河各市(地)、县都成立相应的防汛指挥部,由同级人民政府和治黄专业部门的主要负责人担任正副指挥,分别负责所辖河段的防汛工作。

黄河下游沿河各乡、镇都相应建立防汛指挥部,并通过下属村的防汛领导小组承担组织群众防汛队伍、筹措部分防汛料物以及本责任段的堤线防守、查险和抢险等具体工作。

二、治黄专业机构

豫、鲁 2 省和黄河小北干流、渭河下游及潼关至三门峡河段各级防汛指挥部(除乡一级外),都有相应的治黄专业机构作为具体办事部门。水利部黄河水利委员会是黄河防汛总指挥部的办事机构,负责编制防洪规划和重大防洪工程设计,制定各级洪水的防御方案,检查了解防洪工程现状,督促检查度汛工程的施工进度,调拨主要防汛器材等。汛期掌握、了解防汛工作情况,交流防汛信息,发布洪水预报,进行防洪调度等工作。黄河水利委员会下分设河南、山东两省黄河河务局,以及黄河陕西、山西小北干流河务局等防汛直属单位。三门峡库区有关省、(地)市的库区管理局(属地方编制),作为省防汛指挥部的黄河防汛办事机构,负责完成辖区内的各项防汛工作。在河南、山东及两个小北干流黄河河务局领导下,沿河各地(市)、县(区)设立黄河河务局,作为各地(市)、县(区)防汛指挥部的办事机构,负责黄河堤防、险工、涵闸和控导工程的修建、管理、维护和防守,并根据任务大小,设立机动抢险队和规模不等的工程队。各县河务局还负责群众护堤队伍的组织和技术指导。

黄河业务部门内部设有水文局、通信管理局、信息中心等机构。水文局负责水文测验、洪水预报等;通信局建立有水利系统内部微波干支线及移动通信网络,并利用邮电公用网作为传输雨、水、工情的辅助手段;信息中心负责防汛信息、计算机网络维护及办公自动化等。

黄河防汛组织机构框图,见图 6-1。

第二节　防汛机构的职责

一、各级防汛指挥部职责

(1)各级防汛指挥部是所辖地区防汛工作的常设机构,受同级人民政府和上级防汛指挥部的共同领导,行使防汛指挥权,组织并监督防汛工作的实施。

(2)贯彻国家有关防汛工作的方针、政策、法令、法规,执行上级防汛指挥

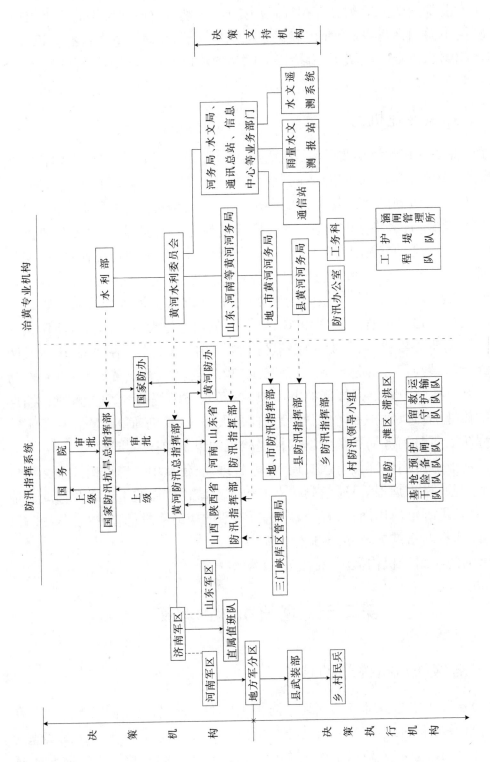

图 6 - 1　黄河防汛指挥组织机构框图

部的各种指令。负责向同级人民政府和上级防汛指挥部报告工作,全面做好黄河防汛工作。

(3)遇设防标准以内的洪水,确保堤防、水库工程防洪安全;遇超标准洪水,尽最大努力,想尽一切办法缩小灾害。

(4)做好群众的组织宣传工作,提高全社会的防洪减灾意识。召开防汛会议,部署防汛工作。

(5)组织防汛检查,督促并协调有关部门做好防汛工作,完善防洪工程和非工程措施,落实各种防汛物资储备。

(6)根据黄河防洪总体要求,结合当地防洪工程现状,制定防御洪水的各种预案,研究制定工程防洪抢险方案。

(7)负责下达、检查、监督防汛调度命令的贯彻执行,并将贯彻执行情况及时上报。

(8)组织动员社会各界投入黄河防汛抢险和迁安救灾等工作。

(9)探讨研究和推广应用现代防汛科学技术,总结经验教训,按有关规定对有关单位和个人进行奖惩。

(10)做好其他有关防汛抗洪工作。

二、河务部门(黄河防汛办公室)职责

各级黄河业务部门,长期以来坚守在黄河第一线,在历次抗洪斗争中积累了较丰富的经验,对黄河水沙特点、工程建设及抗洪能力、抗洪抢险技术等有较系统的知识,有比较健全的水情传递系统和通信手段,是行政首长指挥黄河防汛的参谋和助手,各级行政首长应充分发挥他们在黄河防汛中的优势和作用。黄河业务部门,要当好行政首长的参谋和助手,在技术上保证行政首长负责制的落实是义不容辞的责任。

在行政首长和防指的领导下,黄河部门主要职责如下:

(1)贯彻国家有关防汛工作的方针、政策,执行上级和本级防汛指挥部命令、指示。

(2)根据黄河防洪总体要求,结合辖区内的工程现状,制定防御各种洪水预案和抗洪抢险方案。

(3)负责辖区内的防洪工程建设、维护和管理。

(4)组织防汛宣传和工程检查。

(5)及时掌握防汛动态,随时向上级和有关部门通报气象、雨情、工情、灾情和抗洪抢险情况。分析防洪形势,预测各类洪水可能出现的问题,提出处理

意见。

（6）协调并督促检查各部门防汛工作。

（7）负责国家储备的防汛物资调配和管理。

（8）做好防汛总结，推广防汛先进经验。

（9）做好其他有关防汛抗洪工作。

第三节　有关部门的防汛职责

防汛是一项社会性的防灾减灾工作，需要动员和调动各部门各行业的力量，在各级政府的统一领导下，同心协力共同完成抗御洪水灾害的任务。各有关部门的防汛职责是：

（1）各级水行政主管部门负责所辖已建和在建堤防、涵闸虹吸水库、水电站、蓄滞洪区等各类防洪工程的维护管理，防洪调度方案的实施以及组织防汛抢险工作。

（2）水文部门负责水文设施的检查、维修、养护和管理；负责汛期各水文站网的测验报汛；及时向防汛部门提供雨情、水情和有关洪水、冰凌洪水预报。

（3）气象部门负责暴雨、台风和异常天气的监测和预报，按时向防汛部门提供长期、中期、短期气象预报和有关公报。

（4）电力部门负责所辖水电工程的汛期防守和防洪调度计划的实施，保证防汛机构、防洪工程和防洪抢险的电力供应。

（5）邮政、通信部门汛期为防汛提供优先通话和邮发水情电报的条件，保证通信畅通。并负责本系统邮政、通信工程的防洪安全。

（6）建设部门根据江河防洪规划方案做好城区的防洪、排水规划，负责所辖防洪工程的防汛抢险，并负责检查城乡房屋建筑的抗洪、防风安全等。

（7）物资、商业、供销部门负责提供防汛抢险物资供应和必要的储备。

（8）铁道、交通、民航部门汛期优先运送防汛抢险人员和抢险物料；为紧急抢险及时提供所需车辆、船舶、飞机等运输工具。并负责本系统所辖工程设施的防汛安全。

（9）民政部门负责滩区及蓄滞洪区群众的迁安救护和灾民的安置、救济。发生洪水后要立即进行抢护转移，使群众尽快脱离险区，并安排好脱险后的生活，组织灾区群众恢复生产和重建家园。

（10）公安部门负责防汛治安管理和安全保卫工作。制止破坏防洪工程和水文、通信设施以及盗窃防汛物料的行为；维护水利工程和通信设施安全。在紧急防汛期间协助防汛部门组织撤离洪水淹没区的群众。

（11）中国人民解放军及武装警察部队负有协助地方防汛抢险和营救群众的任务。汛情紧急时负有执行重大防洪措施的使命。

（12）中原、胜利油田负责所辖油田设施的防洪保安工作。

（13）新闻宣传部门负责组织防汛抗洪抢险宣传教育工作，提高全社会的水患意识。

（14）其他有关部门均应根据防汛抢险的需要积极提供有利条件，完成各自承担的防汛抢险任务。

第四节　防汛责任制度

防汛是一项责任重大的工作，必须建立健全各种防汛责任制度，实现正规化、规范化，做到各项工作有章可循、各司其职。防汛责任制度包括以下几个方面：

一、行政首长负责制

为战胜洪水灾害，不仅平时要组织、动员广大干部和群众，使其在思想上、组织上做好充分准备，克服各种麻痹思想。而且一旦发生洪水，抗洪抢险自然会成为压倒一切的大事，需要动员和调动各部门各方面的力量，发挥各自的职能优势，同心协力共同完成。特别是在发生特大洪水时，党、政、军、民都要全力以赴投入抗洪抢险救灾，在紧急情况下，要当机立断做出牺牲局部、保护全局的重大决策。因此，需要各级政府的主要负责人亲自主持，全面领导和指挥防汛抢险的工作。

1987年4月11日国务院听取防汛工作汇报后，在会议纪要中明确指出"要进一步明确各级防汛责任制"。并规定"地方的省（区、市）长、地区专员、县长要在防汛工作中负主要责任，并责成一名副职主抓防汛工作"。以后统称之为"防汛行政首长负责制"。根据这一精神确定全国范围内的防汛由国务院负责，国家防汛总指挥部负责具体工作，对一个省、一个地区来说，防汛的总责就落在省长、市长、专员、县长的身上。当地行政一把手是辖区防汛的第一责任人。

根据《中华人民共和国防洪法》和黄河防总的有关规定，沿黄各级人民政府行政首长的防汛职责是：

（1）统一指挥本辖区的防汛抗洪工作，对本辖区的防汛抗洪工作负总责。

（2）督促建立健全防汛机构,组织制定本辖区有关防洪的法规、政策,并贯彻实施。教育广大干部群众树立大局意识,以人民利益为重,服从统一指挥调度。组织做好防汛宣传,克服麻痹思想,增强干部群众的水患意识,做好防汛抗洪的组织和发动工作。

（3）贯彻防汛法规和政策,执行上级防汛指挥部的指令,根据统一指挥、分级分部门负责的原则,协调各有关部门的防汛责任,及时解决防汛抗洪经费和物资等问题,确保防汛工作的顺利开展。

（4）组织有关部门制订本辖区黄河各级洪水的防御方案和工程抢险措施,制订滩区、库区、蓄滞洪区群众迁安方案。

（5）主持防汛会议,部署黄河防汛工作,进行防汛检查。负责督促本辖区河道的清障工作。加快本地区防洪工程建设,不断提高抗御洪水的能力。

（6）根据本辖区汛情和抗洪抢险实际,认真听取河务部门参谋意见,批准管理权限内的工程防守、群众迁安、抢险救护方案,以及紧急情况下的决策方案,调动所辖地区的人力、物力有效地投入抗洪抢险斗争。

（7）洪灾发生后,迅速组织滩区、库区、蓄滞洪区群众的迁安救护,开展救灾工作,妥善安排灾区群众的生活,尽快恢复生产,重建家园,修复水毁工程,保持社会稳定。

（8）对所分管的防汛工作必须切实负起责任,确保安全度汛,防止发生重大灾害损失。按照分级管理的原则,对下级防汛指挥部的工作负有检查、监督、考核的责任。

（9）搞好其他有关防汛抗洪工作。

二、分级责任制

根据黄河水库、堤防险工和控导工程、蓄滞洪区等防洪工程所处的行政区域、工程等级和重要程度以及防洪任务等,确定省、地(市)、县各级管理运用、指挥调度的权限责任。在统一领导下实行分级管理、分级调度、分级负责。

晋、陕、豫、鲁4省的黄河防汛工作,在黄河防总的领导下,由各省行政首长负责。沿黄各地(市)、县的黄河防汛工作由所在地市长、县长负责。

北金堤滞洪区的运用由黄河防总提出运用意见,报国务院批准后,河南省防汛指挥部负责组织实施。

三门峡水库防洪由黄河防总负责调度,三门峡水利枢纽管理局负责组织实施。

小浪底水库防洪由黄河防总负责调度,小浪底水利枢纽建设管理局负责组织实施。

万家寨水库防洪由黄河防总负责调度,万家寨水利枢纽有限公司负责组织实施。

故县水库由黄河防总负责调度,故县水利枢纽管理局负责组织实施。

陆浑水库由黄河防总负责调度,陆浑水库灌区管理局负责组织实施。

东平湖水库分洪运用,由黄河防总商同山东省人民政府确定,山东省防汛指挥部负责组织实施。司垓退水闸的运用,由黄河防总提出运用意见,报经国家防汛抗旱总指挥部批准后,通知山东省防汛指挥部负责组织实施。

三、岗位责任制

为确保黄河防洪安全,沿黄市(地)、县(市、区)、乡(镇)行政负责人和防指领导,实行分级承包、逐项分解的办法,落实防汛责任制。对于防洪工程的管理,黄河业务部门实行岗位责任制。对每段堤防,每处险工、控导工程的每个坝头,都指定黄河职工、护堤员专人管理、维护和观测防守,定岗定位,责任到人,制定了严格的检查评比制度等。如险工、控导(护滩)工程实行班坝责任制,险工按护砌长度每公里配备2～3人,控导(护滩)工程按每公里1.5～2人管理等。

四、分部门负责制

防汛是一项社会性防灾抗灾工作,需要动员和调动各部门和行业的力量,在政府和防汛指挥部的统一领导下,同心协力共同完成抗御洪水灾害的任务。根据各司其职,分工负责的原则,省、地、县、乡机关各部门,结合各自特点分项承包防汛任务,实行分部门负责制。

黄河防汛总指挥部为加强黄河防汛工作正规化、规范化建设,明确分工,落实责任,1997年陆续制定了《黄河汛期水文、气象情报预报工作责任制》、《黄河防汛总指挥部洪水调度责任制》、《黄河防洪工程抢险责任制》等。主要内容如下:

(一)黄河汛期水文、气象情报预报工作责任制

黄委水文局是黄河防汛办公室成员单位,负责黄河流域气象、水文情报预报工作,收集并处理实时水情信息,制作降雨预报、吴堡以下重要控制站洪水预报和花园口站长期径流预报,发布水情日报,定期发布《水情简报》。其岗位职责为:

(1) 6月15日起至10月15日止,水情、气象部门按汛期工作制度运行,实行日夜值班。黄河防办可根据需要,通知提前或延期值班。

(2)收集全河报汛雨、水情信息,做好差错报的处理。

(3)各种常规气象资料、天气分析图、传真图、卫星云图等气象信息和资料的收集和处理。

(4)负责向黄委信息中心传送实时雨、水情信息和气象卫星云图信息,并通过黄委信息中心向国家防总传送实时雨、水情信息。

(5)每日发送 8 时水情日报,并视需要随时增发 6 时水情日报,遇中游出现 30 000km² 以上、三花区间出现 20 000km² 以上的大雨过程,增发降雨实况等值线图;每月 5 日前后印发上月全河水沙综合分析简报,遇有大洪水,增发洪水分析简报;11 月上旬印发汛期水情公报。

(6)每月 2 日发布当月的降水预报;每周三发布 4～10 天的中期降水过程预报;每日 13 时发布 24～72 小时的区域性降水预报,中游地区可能出现降雨面积在 20 000km² 以上的暴雨过程时,发布 24 小时的雨量等值线预报图。

天气形势分为 3 类,即非常天气形势、重大天气形势和一般天气形势。重大和非常情况下的天气形势,加发未来 24 小时降水预报等值线图和预报说明,并与水利部信息中心、中央气象台及其他地方气象台会商进行。

(7) 黄河吴堡以下重要站点的实时洪水预报制作。

制作花园口、夹河滩、高村、孙口、艾山、泺口、利津等 7 站的正式洪水预报,要同时预报洪峰流量、峰现时间和洪峰相应水位(试预报),当花园口站可能出现 10 000m³/s 及以上的流量时,加发流量过程预报。

黄河三花区间可能出现暴雨洪水时,要及时向防办领导汇报,请求参与会商,并按警报预报、参考预报、正式洪水预报 3 个程序制作和发布花园口站洪水预报。警报预报、参考预报和正式洪水预报,一律以"代电"形式向防办提供,由防办对外发布。

(二)黄河防汛总指挥部洪水调度责任制

1. 花园口站 4 000m³/s 以下洪水

花园口站 4 000m³/s 以下洪水,下游河道除少量低滩区可能上水外,洪水通过河槽排泄,防汛处于正常工作状态。

调度责任人:黄委河务局局长、主管副局长

主持召开会商会议;处理防汛日常工作;签发调度命令;向黄防总办主任和黄委带班副主任报告全河防汛情况。

2. 预报花园口站发生 4 000～10 000m³/s 洪水

花园口站发生该流量级洪水时,洪水通过河道排泄,下游滩区将大量进水,堤防偎水,黄河下游防洪将处于严重状态。

调度责任人:常务副总指挥、黄河防总办主任

主持召开防洪会商会议;处理有关抗洪抢险事宜;签发各种调度命令,向总指挥、国家防总和水利部报告黄河抗洪抢险工作。

方案编制责任人:黄委河务局局长、主管副局长

接到水情预报后,2小时内提出故县、陆浑水库建议调度方案,提交会商会议讨论。

3.预报花园口站发生10 000~15 000m³/s洪水

当花园口站发生10 000~15 000m³/s洪水时,下游大部分滩区上水,大部分堤防偎水,黄河下游防洪将处于紧急状态,为控制艾山站流量不超过10 000m³/s,除充分利用河道排泄外,将根据洪水情况,确定东平湖水库是否运用;视洪水来源,确定是否运用故县、陆浑水库拦洪。

调度责任人:总指挥、常务副总指挥

主持召开防洪会商会议;部署防洪抢险工作;研究故县、陆浑及东平湖水库调度;签发各种调度命令;向国家防总和水利部报告黄河防洪抢险工作。

方案编制责任人:黄河防总办主任、黄委河务局局长

接到水情预报后,2小时内提出故县、陆浑、东平湖建议调度方案,提交会商会议讨论。

4.预报花园口站发生15 000~22 000m³/s洪水

当花园口站发生15 000~22 000m³/s洪水时,黄河下游防洪将处于十分紧急状态。为控制艾山站流量不超过10 000m³/s,将根据水情的具体情况,确定是否运用东平湖水库;根据小浪底水库施工防洪要求,确定是否运用三门峡水库拦洪;视洪水来源,确定是否运用故县、陆浑水库拦洪。

调度责任人:总指挥、常务副总指挥

主持召开防洪会商会议;部署防洪抢险工作;研究三门峡、故县、陆浑及东平湖水库调度;签发各种调度命令;向国家防总和水利部报告黄河防洪抢险工作。

方案编制责任人:黄河防总办主任、黄委河务局局长

接到水情预报后,2小时内提出故县、陆浑、东平湖建议调度方案,提交会商会议讨论。

5.预报花园口站发生22 000m³/s以上洪水

当花园口站发生大于22 000m³/s洪水时,黄河下游防洪将处于非常状态,需全民动员,决一死战。除运用三门峡、故县、陆浑水库拦洪,运用东平湖

水库分洪外,将根据水情的具体情况,确定是否运用北金堤滞洪区、大功分洪区和齐河北展宽区分滞洪水。

调度责任人:总指挥

主持召开防洪会商会议;部署防洪抢险工作;研究洪水处理方案;签发三门峡、故县、陆浑及东平湖水库,北金堤滞洪区,大功分洪区和齐河北展宽区等各种调度命令;向国务院、国家防总和水利部报告黄河防洪工作。

方案编制责任人:常务副总指挥、黄河防总办主任

接到水情预报后,2小时内提出水库、蓄滞洪区联合调度建议调度方案,提交会商会议讨论。

6.非常情况下的调度措施

当黄河下游发生严重威胁堤防安全的重大险情,或由于水位表现异常超过堤防防御标准,须紧急动用水库拦洪或使用蓄滞洪区分洪时,三门峡水库的运用,由总指挥边向国家防总报告,边签发调度命令,由三门峡水利枢纽局负责组织实施;大功分洪区和北金堤滞洪区的运用,按规定向国务院并向国家防总提出申请;东平湖水库和齐河北展宽区的运用,按规定商同山东省人民政府确定,由山东省防指负责组织实施。

(三)黄河防洪工程抢险责任制

(1)黄河抗洪抢险实行各级人民政府行政首长负责制。在各级人民政府和防汛指挥部的统一指挥下,实行分级分部门负责。

(2)堤防工程查险由所在堤段县、乡人民政府防汛责任人负责组织,群众防汛基干班承担,当地黄河河务部门岗位责任人负责技术指导。

险工、控导(护滩)和涵闸虹吸工程的查险在大河水位低于警戒水位时,由当地黄河河务部门负责人组织,河务部门岗位责任人承担;达到或超过警戒水位后,由县、乡人民政府防汛责任人负责组织,由群众防汛基干班承担,黄河河务部门岗位责任人负责技术指导。

(3)根据洪水预报,黄河河务部门岗位责任人应在洪水偎堤前8小时驻防黄河大堤。县、乡人民政府防汛责任人应根据分工情况,在洪水偎堤前6小时驻防黄河大堤,群众防汛队伍应在洪水偎堤前4小时到达所承担的查险堤段(工程)。

(4)群众防汛队伍上堤后,县、乡防汛指挥部应组建防汛督察组,对所辖区域内工程查险情况进行巡回督察。黄河河务部门组成技术指导组巡回指导群众查险。

(5)巡堤查险人员必须严格执行各项查险制度,按要求填写查险记录。查

险记录由带班和堤段责任人签字。堤段责任人应将查险情况以书面或电话形式当日报县黄河防汛办公室。

(6)险情报告除执行正常的统计上报规定外,一般险情报至地(市)黄河防汛办公室,较大险情报至省黄河防汛办公室,重大险情报至黄河防汛总指挥部办公室。

(7)各级黄河防汛办公室在接到较大险情、重大险情报告并核准后,应在10分钟之内向同级防汛指挥部指挥长报告。重大险情黄河防总办公室应在10分钟内报告常务副总指挥。

(8)县级防汛指挥部应在每年6月15日前按有关规定建立完善群众抢险队、护闸队、运输队、预备队等一、二、三线抢险队伍。在每年6月30日前对一线队伍进行必要的抢险技术培训并建档立卡。

(9)黄河河务部门应在每年6月15日前将专业抢险队伍(包括专业机动抢险队)集结完毕。并在6月30日前完成抢险技术练兵、抢险机械设备维修等准备工作。

(10)各级防汛指挥部应按黄河防汛工作职责的规定明确防汛职责,于每年5月31日前完成与部队、武警及有抢险任务的各部门的联系,明确各部门在抢险中的具体工作任务和责任。

(11)工程抢险一般由县级防汛指挥部负责。较大险情或重大险情必要时可临时成立地(市)或省级抢险指挥部。抢险指挥部由本级政府行政首长任指挥长,黄河河务部门负责技术指导。抢险方案由指挥长签署并负责实施。

(12)黄河河务部门专业机动抢险队承担重大险情的紧急抢险任务。机动抢险队在省内抢险的调遣,由省黄河防汛办公室下达调动命令;跨省抢险的调遣,由黄河防汛总指挥部办公室下达调度命令。

五、技术人员责任制

技术人员是行政首长的参谋。为在防汛抗洪斗争中实现优化调度,科学抢险,提高防汛指挥的准确性和可行性,避免因失误造成不必要的损失。凡有关预报数值、工程抗洪能力评价、调度方案制定、抢险技术措施等应由各级黄河防办技术负责人负责,建立技术人员责任制。关系重大的技术决策,要组织相应技术级别的人员进行研究咨询,博采众议,以防失误。

六、防汛工作制度

为保证防汛工作顺利进行,应建立黄河防汛工作制度,主要有:防汛值班制度、防汛会议制度、防汛检查制度等。

(一)值班工作制度

汛期容易出现风云骤变,突发暴雨洪水、台风等灾害,而且防洪工程设施又多在自然环境下运行,也容易出现异常现象,为预防不测,应变及时,各级防汛机构汛期均应建立防汛值班制度。使防汛机构及时掌握和传递汛情,加强上下联系,多方协调,充分发挥枢纽作用。汛期值班主要责任事项如下。

(1)了解掌握汛情。汛情一般指水情、工情、灾情。具体内容是:

水情:及时了解实时雨情、水情实况和水文、气象预报信息;

工情:当雨情、水情达到某一数值时,要主动向所辖单位了解河道堤防、水库、闸坝等防洪工程的运用和防守情况;

灾情:主动了解受灾地区的范围和人员伤员情况以及抢救措施。

(2)按时请示传达报告。按照报告制度,对于重大汛情及灾情都要及时向上级汇报。对需要采取的防洪措施要及时请示批准执行。对授权传达的指挥调度命令及意见,要及时准确传达。

(3)熟悉所辖地区的防汛基本资料和主要防洪工程的防御洪水方案和调度计划。对所发生的各种类型洪水要根据有关资料进行分析研究。

(4)了解掌握各地防洪工程设施发生的险情,及其处理情况。

(5)对发生的重大汛情要整理好值班记录,以备查阅归档保存。

(6)严格执行交接班制度,认真履行交接班手续。

(7)做好保密工作,严守国家机密。

(二)防汛会议制度

1.黄河防总防汛会议

(1)会议主要内容。总结上年度黄河防汛工作,分析当年的黄河防洪形势,研究部署晋、陕、豫、鲁4省黄河防汛工作。防汛会议形成的决定除专门说明者外,均由黄河防总办公室负责落实催办。

(2)会议时间和地点。一般在每年的4月中下旬召开,具体时间和地点由黄河防总领导研究决定,由黄河防总办公室负责通知。

(3)参加会议人员。黄河防总正副总指挥,晋、陕、豫、鲁4省防指,黄河部门,济南军区及山东省军区、河南省军区,胜利油田、中原油田,郑州、济南铁路局及其他有关单位代表参加,邀请国家防总、财政部、水利部、中国气象局等部委领导到会指导。会议由黄河防总总指挥或常务副总指挥主持。

2.黄河防总办公室防汛例会

(1)会议主要内容。听取防办各成员单位各项防汛工作情况的汇报,分析研究有关问题,部署下一步工作。防汛例会形成的决定除专门说明者外,均由黄委河务局负责落实催办。

各单位(部门)有紧急事项须请有关部门会商时,经黄河防总办公室主任批准后,可临时召开紧急事项专题会商会。

(2)会议时间和地点。例会汛期每星期四上午在防洪厅召开,特殊情况下另行通知。

(3)参加会议人员。黄委领导、防办成员单位领导及有关人员参加。由黄河防总办公室主任或副主任主持,各防办成员单位领导因故不能参加时,须向防办主任请假并委托代表参加。

(三)黄河防总办公室防汛检查制度

防汛检查是及时发现问题的有效手段,是做好防汛工作的重要前提。

(1)检查时间。一般在每年的 3~6 月份进行,具体时间由黄河防总办公室根据防汛工作开展情况研究决定。

(2)检查组织。防汛检查分 3 种形式,即综合检查、行业检查、专题检查。

(3)检查形式。采取座谈、查看、听汇报、提问等形式。

(4)检查主要内容。包括:①各项防汛责任制的落实情况;②各项防洪预案的修订完善情况;③度汛准备及施工完成情况;④防汛队伍组织及防汛料物落实情况;⑤蓄滞洪区、滩区迁安救护措施落实情况等;⑥水文测报、防汛通信及预警反馈系统准备等有关工作。

(5)检查结果。检查结束 5 日内,要完成检查报告报黄河防总办公室领导和有关部门,检查报告内容包括各项工作完成情况、检查发现问题及处理建议等。

(四)黄河防汛督察办法

(1)为监督、检查各项防汛责任制及调度指令的贯彻执行,保障防洪安全,依据《中华人民共和国防洪法》,制定防汛督察办法。适用范围为晋、陕、豫、鲁 4 省沿黄地区。

(2)督察组织分 4 级。依次为黄河防汛总指挥部防汛督察组、省级防汛指挥部黄河防汛督察组、地(市)级防汛指挥部黄河防汛督察组、县级防汛指挥部黄河防汛督察组。督察组织为非常设机构,各级防汛指挥部可根据防汛任务或险情需要随时成立专项督察组。

(3)督察组由防办、监察、纪检、人事等部门政治素质高、工作负责的同志组成。组长由相当一级的行政领导担任。每个督察组一般 3~5 人。

(4)督察对象。同级防指成员单位、负责防汛工作的下级行政首长、承担防汛任务的下级单位和个人。

(5)督察工作内容。在防汛准备阶段、汛期及汛后与防洪、防凌有关的主要工作。

国家防汛法规及国家防总、黄河防总、各级防指的防汛指令执行情况;各项防汛责任制特别是行政首长负责制落实情况;各类防洪预案的制订、完善情况。

防洪基建工程和度汛工程建设施工情况;滩区、蓄滞洪区安全建设及河道清障情况;各类防汛队伍组织落实、技术培训情况;水文、通信、信息防汛准备情况;国家常备料物、群众及社会团体备料储备情况。

洪水期领导上岗到位、防汛队伍上堤防守和巡堤查险情况;汛期洪水调度情况;汛后赈灾、救灾等善后工作。

其他各项防洪、防凌工作开展情况。

(6)督察组对本级防汛指挥部负责。按照下级服从上级、一级抓一级、层层抓落实的原则,督察组有权对辖区范围内所有参加防汛工作的单位和个人进行监督和检查;有权对防汛工作不力的单位和个人进行批评并提出处理建议;有权对防汛工作不合格单位提出整改措施并限期整改。

(7)在大洪水期间,对违反防汛有关规定和上级防汛指挥部指令,情节严重者,督察组有直接处置权,事后向本级防汛指挥部写出书面报告。

第五节　防汛队伍

历代黄河防洪,沿河均设有专职官员和民夫负责汛期防守。明代河督、治黄专家潘季驯非常重视堤防和人防的作用,曾提出:"河防在堤,而守堤在人,有堤不守,守堤无人,与无堤同矣"。

1946年开始人民治黄以来,黄河防汛队伍采取专业队伍和群众队伍相结合,并实行军民联防的方针,大力依靠群众,确保黄河安全。

(一)黄河防汛专业队伍

1.专业队

黄河防汛专业队伍是防汛抢险的骨干,由各县河务局的工程队员以及堤防、险工、涵闸等工程管理单位的管理人员、护堤员、养护班、护闸员等组成,平时根据管理养护掌握的情况分析工程的抗洪能力,划定险工、险段的部位,做好出险时抢险准备。进入汛期即投入防守岗位,密切注视汛情,加强检查观测,及时分析险情。专业队要不断学习管理养护知识和防汛抢险技术,并做好专业培训和实战演习。

2.机动抢险队

为适应黄河险情多变的特点和提高抢险效果,各省、地(市)河务部门还组建了训练有素、技术熟练、反应迅速、战斗力强的机动抢险队,承担堤防、涵闸等工程重大险情的紧急抢险任务。平时结合管理养护,学习提高技术,参加培训和实践演习。目前,黄河下游正对20支机动抢险队进行装备,由省黄河防汛办公室调动。一般情况下负责各抢险队责任范围内的险情抢护,特殊情况下由黄河防总办公室在全河进行调动。机动抢险队每队编制30~40人,规定要配备各类专业技术人员及交通、通信、照明等机具设备。

(二)群众防汛队伍

群众防汛队伍是黄河防汛的基础力量。它是以青壮年为主,吸收有防汛经验的人员参加,组成基干班、亦工亦农抢险队、护闸队不同类别的防汛队伍。根据堤线防守任务大小和距离黄河远近,划分一、二、三线。临近黄河的乡、村组成一线防汛队伍。沿黄县的后方乡(镇)和其他紧临一线的县乡组织预备队为二线防汛队伍。沿黄市(地)的部分后方县(区)群防队伍为三线。滩区、滞洪区、库区组织迁安救护队伍。

基干班是堤线防守的主力,负责堤防防守、巡堤查险和一般险情抢护。临黄堤按不同河段每公里组织12~20个基干班,每班12人。抢险队是抢险的机动力量,实行民兵军事化管理。每县组织1个或几个抢险队,每队30~50人。涵闸、虹吸视工程状况,一般组织护闸队30~50人。险闸、分洪闸要适当增加防守力量。

预备队是堤线防守的后备力量,负责运送抢险料物,必要时参加堤线防守和抢险。此外,每年汛期还把沿河城镇、机关、工厂、学校的职工和居民组织起来,情况危急时动员他们投入防汛抢险。

以上各级各类群众防汛队伍,黄河下游每年组织200余万人,有时多达300万人。其中,基干班约占群众队伍总人数的40%,抢险队约占总人数的5%,预备队约占总人数的55%。

(三)中国人民解放军抢险队伍

中国人民解放军是防汛抢险的突击力量。解放军每年都参加黄河防汛抢险,实行军民联防。在历年防洪斗争中,都做出了重大贡献。

汛前防汛指挥部要主动与当地驻军联系,通报防御方案和防洪工程情况,明确部队防守任务和联络部署制度。

请求解放军支援的程序,由所在地防汛指挥部提出请求,逐级上报至省防指,由省防指与省军区和济南军区协商,由济南军区下达调动命令。

第六节 抗洪表彰和奖励

在防汛抗洪斗争中,广大干部、群众和人民解放军指战员,为抗御洪水灾害,保障国家经济建设的顺利进行和人民生命财产的安全做出了重大贡献,涌现出一大批先进集体和先进个人,有的还为此献出了宝贵的生命。国家防汛总指挥部1985年曾决定,每年根据各地不同情况分别由国家防汛总指挥与各省、自治区、直辖市防汛指挥部组织进行表彰。黄河防汛总指挥部规定的嘉奖表彰的事迹为:

(1)严格执行上级防指的调度指令,在防汛指挥调度上组织严密,分工合理,布置适宜,计划周到,防守得当,保证全局安澜者;

(2)坚持巡堤查险,遇到险情时不畏艰苦,不怕牺牲,不分昼夜,不顾风雨,化险为夷,有卓越成绩者;

(3)在危急关头组织抢救群众,保护国家财产,不怕牺牲,昼夜奋战,保卫人民生命安全有功者;

(4)为防汛调度、抗洪抢险等献计献策,有发明或创造,因而克服困难,转危为安者;

(5)气象、雨情、水情测报和预报准确及时,情报传递迅速且时效显著,因而减轻重大洪水灾害者;

(6)克服困难,沟通联络,确保通信线路畅通、防汛信息畅通者;

(7)为防汛提供充足的料物和工具,供应及时,爱护防汛器材,节约经费开支,对保证完成防汛抢险有显著效果者;

(8)有其他特殊贡献和成绩者。

第七章　防汛抢险技术

"安全第一、以防为主、常备不懈、全力抢险"是指导防汛工作的重要方针。当工程发生险情后,要立即查看出险情况,分析出险原因,有针对性的采取措施,及时进行抢护,防止险情扩大,保证安全。否则,可能使险情加剧,造成重大损失。

第一节　巡查队伍的组成和责任

险情巡查是及时发现险情,减少和避免更大损失的重要手段。

一、巡查队伍的组成和责任

险情巡查由当地防汛指挥部组织,黄河河务部门指导基干班具体实施。基干班由群防人员组成,主要担负汛期的堤防防守和巡堤查险任务,是防守堤防的主力军。洪水漫滩堤根偎水,即组织基干班上堤巡堤查险。一般以500m堤防段为一个防守单位,每个防守单位可根据情况组织适当数量的基干班防守。每班一般12人,配备正副班长。

二、巡堤查险的工具料物准备

为使巡堤查水人员及时发现和处理险情,确保工程安全,基干班应配备如下工具料物:

基干班每人必须备有铁锹、旧棉被或棉袄、雨具和草捆等。

每班必须配备斧头、手钳、麻绳、救生用具、探水竹竿、地排车、装运器具及照明设备等。

每个防守单位准备锣或鼓1个,红旗、红灯、口哨等报警设备,锤、夯、梯子、锛、锯、木桩、苇席、锅、门板、帆布等抢险工具。

三、巡堤查险制度

洪水偎堤后,基干班分组轮流执行巡查任务,坚持昼夜巡查。巡查的范围主要是临、背河堤坡、堤顶和距背河堤脚 50～100m 范围的地面、积水坑塘。

(一)巡查方法

(1)巡查临河堤坡时,一人背草捆在临河堤肩走,一人拿铁锹在堤半坡走,一人持探水竿沿水边走。沿水边走的人要不断用探水竿探摸,借波浪起浮的间隙查看堤坡有无险情。另外两人注意查看水面有无旋涡等异常现象,并观察堤坡有无裂缝、塌陷、滑坡、洞穴等险情发生。在风大流急、顺堤行洪或水位骤降时,要特别注意堤坡有无崩塌现象。

(2)巡查背河堤坡时,一人在背河堤肩走,一人在堤半坡走,一人沿堤脚走。观察堤坡及堤脚附近有无渗水、管涌、裂缝、滑坡、漏洞等险情。

(3)对背河堤脚外 50～100m 范围内的地面及积水坑塘,应组织专门小组进行巡查,检查有无管涌、翻沙、渗水等现象。对淤背区或已修后戗的堤段,也要组织一定的力量进行巡查。

(4)堤防发现险情后,应指定专人定点观测或适当增加巡查次数,及时采取处理措施,并向上级报告。

(5)巡查的路线,一般情况下可去时查临河堤坡,返回时查背河堤坡。当巡查到两个责任段接头处时,两组应交叉巡查 10～20m,以免漏查。

(二)几项规定

(1)开始漫滩时,可由 1 个组从临河去,背河返回。巡查的间隔视水情、天气、险情而定,一般情况下每隔半小时巡查 1 次。

(2)当水位上涨偎堤水深增加,出现"横河"、"斜河",威胁堤防安全时,应有 2 个组同时出发,分别从临河与背河巡查,再交互巡查返回,并适当增加巡查次数。

(3)当洪水达到保证水位时,应增加巡查次数,每次由两组分别从临河与背河查,再交换查回。第一组出发后,第二组、第三组等相继出发,各组次出发巡查的时间间隔要相等。

(三)工作制度

(1)巡查制度。河务部门要给上堤人员介绍防守堤防的历史情况、现存的险点、薄弱环节及防守重点,并实地指导。巡查人员必须听从指挥,坚守岗位,严格按照巡查办法及注意事项进行。

(2)交接班制度。交接班时,上一班的班(组)长必须在巡查的堤段将出现的问题向下一班全面交代清楚(包括水情、工情、工具料物数量及需要注意的事项等),对尚未查清的可疑险象,要共同巡查一次,详细介绍其发生、发展变化情况。

（3）值班制度。各级防汛负责人必须轮流值班,坚守岗位,掌握换班和巡查组次出发的时间,了解巡查情况,解决发现的问题,作好巡查记录,及时向上级汇报巡查情况。

（4）汇报制度。交接班时,班(组)长要向带领防守的值班干部汇报巡查情况,值班干部平时一日一报巡查情况。发现险情时,随时上报并进行处理,抢险情况要及时上报。

（四）报警方法

出现险情后,出险、抢险地点,白天挂红旗,夜间挂红灯(应能防风雨)或点火,作为出险的标志。报警的信号可视当地的情况规定,如:口哨警号、锣(鼓)警号、电话报警等。

第二节　堤防主要险情识别与抢护

堤防是防御洪水的重要屏障,是战胜洪水的物质基础。汛期洪水偎堤时,在水流的作用下会遭到破坏,有些堤段由于各种原因存在薄弱环节或隐患,遇水后更易出现险情,如不及时抢护,将会决口成灾。堤防发生的险情主要有:漏洞、渗水、脱坡、管涌、风浪淘刷、坍塌、陷坑、裂缝等。

一、漏洞

在临河或高水位情况下,堤防背水坡及坡脚附近出现横贯堤身或堤基的流水孔洞,称为漏洞。

（一）出险原因

（1）堤防修筑质量差,如土料中含沙量大,有机质多,土块没有打碎,冻土块上堤,碾压不实,两施工段接头未处理好等。

（2）堤身堤基有隐患,如堤内有碉堡、旧涵闸、坑窖、坟坑、害堤动物洞穴等没有拆除或拆除不彻底,成为渗漏的通道,大大缩短了堤身渗流的渗径。

（3）位于老口门、老险工堤段的堤基,筑堤时对原抢险时所用的秸料、木桩、梢料或其腐烂物未清除或清除不彻底。

（4）穿堤建筑物与堤防相接的"土石结合部"填筑质量差,高水位时渗水严重,细粒被渗水带走,以致形成漏洞。

（二）抢护原则

一般漏洞险情发展很快,特别是浑水漏洞,更易危及堤防安全。抢护的原则是:前堵后导,临背并举,抢早抢小,一气呵成。在抢护时应首先在临水侧找到漏洞进水口,及时堵塞,截断水源;同时在背水侧漏洞出水口处采用反滤围井等措施,制止土壤流失,防止险情扩大。切忌在背水侧用不透水材料强塞硬堵,以防造成更大险情。

(三)查找洞口的方法

在临水侧截堵漏洞,首先要查找洞口。寻找进口是一项难度较大的工作,尤其是进口处水较深或水流很急的情况。常用查找洞口的方法有:水上查找旋涡、水下探摸、利用自动报警器探摸洞口、利用 ZDT－1 型智能堤坝隐患探测仪探测漏洞法等。

(四)抢护方法

1. 临河侧截堵

当探摸到的洞口较小时,一般可用软性材料堵塞,并盖压闭气;当洞口较大,堵塞不易时,可利用网兜、软帘、薄板等覆盖的办法进行堵截;当洞口较多,情况复杂,洞口难以找到时,可在临河侧修筑月堤截断进水,或在临水坡面做黏土前戗,也可铺放篷布、土工膜等截堵。

(1)塞堵法。当漏洞进水口较小,周围土质较硬时,可用棉衣、棉被、草包等物填塞,或用预制的软楔、草捆堵塞。此法适用于水浅,流速较小,人可下水接近洞口的地方。主要方法有:软楔塞堵、草捆塞堵、棉被塞堵、软罩塞堵等。

(2)盖堵法。用软帘、铁锅、铝盆、网兜或薄木板,先盖住漏洞的进水口,然后在上面抛压土袋或黏土闭气,以截断水流。根据材料不同,有铁锅盖堵、软帘盖堵、网兜盖堵等方法。

(3)戗堤法。当堤防临水坡洞口较多,范围较大,进水口找不准或找不全时,可利用抛投黏土填筑前戗或临水月堤的办法进行抢堵,主要有:抛筑黏土前戗、修筑临水月堤等。

2. 背河侧反滤导渗

由于在临河侧堵住漏洞口的难度大,因此在临水截堵漏洞的同时,还应在背水漏洞出口抢做滤水工程,以制止泥沙外流,防止险情扩大。背水抢护漏洞险情采用平压围井法。

二、渗水(散浸)

在高水位的情况下,由于渗流压力的作用,堤基和堤身的一部分土体空隙含水饱和,背水坡出逸点以下及堤脚附近出现土体湿润或发软、有水渗出的现象,称为"渗水",又叫"洇水"或"散浸",是堤防较常见的险情之一。

(一)出险原因

(1)水位超过设计标准,且持续时间较长。

(2)堤防断面不足,背水坡坡度陡,浸润线在背水坡出逸。

(3)堤身土质多沙,透水性强,又无防渗斜墙或其他有效的控制渗流的工程措施。

(4)修堤时,土料中有杂质,有干土块或冻土块,碾压不实,两施工段接头质量不好。

(5)堤身内有隐患,如蚁洞、暗沟、獾狐洞、蛇洞等。

(6)堤防与涵闸等建筑物的结合部填筑不密实。

(7)堤基渗水性强,未作防渗或截渗处理。

(二)抢护原则

以"临水截渗,背水导渗"为原则。在临水堤坡用黏性土壤修筑前戗,也可用篷布、土工膜隔渗,可以减少进入堤身的入渗水量;在背水堤坡用透水性较大的沙石、土工织物或柴草等反滤,把渗入堤身的水,通过反滤,有控制地让清水流出,避免土粒流失,从而防止形成集中渗流,保持堤身稳定。

切忌在堤背用黏性土压渗,这样会阻碍堤内渗流逸出,抬高浸润线,导致渗水范围扩大和险情恶化。

在抢护渗水之前,应先查明发生渗水的原因和险情的程度。如堤身因浸水时间长而且渗出的是清水,水情预报水位不再上涨,要加强观察,注意险情变化,可做一般处理。若遇堤身渗水严重或已开始渗出浑水,必须迅速处理,防止险情扩大。

(三)抢护方法

1.临河截渗法

通过增加阻水层,可减小渗水量,降低浸润线,达到控制渗水险情和稳定堤身的目的。堤防临水侧水深不大,风浪较小,附近有黏性土且取土较易的堤段;堤背抢护困难,必须在临水进行抢护的堤段;以及堤段重要,有必要在临背同时抢护的堤段,均适于采用临水截渗法进行抢护。主要有黏性土前戗截渗法、土袋或桩柳前戗截渗法、土工膜截渗法等。

2.导渗沟法

当堤防背水坡大面积严重渗水时,开挖导渗沟,铺设反滤料、土工织物等方法,引导渗水排出,降低浸润线。必须避免水流带走土料颗粒,使险情扩大。按照导渗材料不同,其方法有:沙石导渗沟、秸料导渗沟、土工织物导渗沟等。

3．反滤层法

对于堤身透水性强，在反滤料源丰富以及堤身断面较小或堤土过于稀软不宜做导渗沟时，可采用反滤层法抢护。此法主要是在渗水堤坡上满铺反滤层，使渗水排出。根据所用反滤材料不同，有沙石反滤层、梢料反滤层、土工织物反滤层等方法。

4．透水后戗法

此法既能排出渗水，防止渗透破坏，又能加大堤身断面，达到稳定堤身的目的。一般适用于堤身断面单薄，堤坡渗水严重，背水堤坡较陡，或背水堤脚有潭坑、池塘的堤段。主要方法有沙土后戗、梢土后戗2种。

三、脱坡(滑坡)

大堤脱坡是严重的险情之一，主要是边坡失稳下滑造成的险情。开始时在堤顶或堤坡上发生裂缝或蛰裂，随着裂缝的发展即形成滑坡。一般可分为堤身与基础一起滑动和堤身局部滑动2种。前者滑裂面较深，多呈圆弧形，根据地质条件，也有的呈折线形，滑动体较大，坡脚附近地面土壤往往被推挤外移、隆起，或者沿地基软弱滑动面一起滑动；后者滑动范围较小，滑裂面较浅。对于滑坡险情，应及时抢护，以防继续发展。严重的滑坡险情有导致堤防决口的可能。

(一)出险原因

(1)高水位引起背水坡滑坡。一般高水位持续时间长时，在渗压水的作用下，浸润线升高，土体抗剪强度降低，在渗压力和土重增大的情况下，导致背水坡失稳而引起滑坡。边坡陡时，更易发生滑坡。

(2)水位骤降引起临水坡滑坡。临水堤坡在土体仍处于大部分饱和、抗剪强度低的状态下，水位骤降发生后，上部土体来不及排水，且出现反向渗压水，致使滑动力加大，加之水压力减小，可能引起土体失稳而滑坡。

(3)堤身堤基有缺陷而引起滑坡。如断面单薄、边坡陡、有隐患等，使堤防本身的稳定安全系数不足。在水位升高，土体抗剪强度降低并受到渗透水压力作用的情况下，易发生滑坡。

(4)堤基处理不彻底，有淤泥层；堤脚外有水塘未回填，或虽回填但质量不好；堤顶或堤坡上堆放重物；遇到地震等情况下，易边坡失稳，出现滑坡。

(5)堤防施工中，土料不符合要求，含水量不当，碾压不实，密实度低，以及冬季施工中冻土块上堤等，使堤防质量达不到设计要求，遇到高水位时发生滑坡。

（6）对于堤防背水堤脚设有混凝土或浆砌石护脚的，未设排水，或虽设排水但已堵塞的，高水位时，浸润线升高，也易造成滑坡。

（二）抢护原则

背水坡滑坡的抢护原则是导渗还坡，恢复堤坡完整。如临水条件好时，可同时采取临水帮戗措施，以减少堤身中的渗流，进一步稳定堤身。临水坡滑坡的抢护原则是护脚、削坡减载。如堤身单薄、质量差，为补救削坡后造成的堤身削弱，应采取加筑后戗的措施，予以加固。如基础不好，或靠近背水坡脚有水塘，在采用固基或填塘措施后，再行还坡。

（三）抢护方法

1．滤水土撑法

在背水滑坡范围全面修筑导渗沟工程，以减小渗水压力并降低浸润线，消除产生背水滑坡的条件。至于因滑坡对堤身断面的削弱则以间隔修土撑的办法予以加固。此法适用于背水堤坡排渗不畅，滑坡严重且范围较大，取土又较困难的堤段。

2．滤水后戗法

在背水滑坡范围内全面修做导渗后戗工程。既能导出渗水，降低浸润线，又能恢复并加大堤防断面，使险情趋于稳定。此法适用于堤身单薄，边坡过陡，有滤水材料和取土较易处。

3．滤水还坡法

采用反滤结构，恢复堤防断面的抢护滑坡措施，称为滤水还坡法。此法适用于背水坡由于土壤渗透系数偏小引起堤身浸润线升高，排水不畅，而形成严重滑坡的堤段。主要方法有导渗沟滤水还坡，反滤层滤水还坡，沙土、梢土还坡等。

4．前戗截渗法

此法主要是用黏性土修前戗截渗，遇到背水滑坡严重，范围较广，在背水坡抢筑滤水土撑、滤水后戗、滤水还坡等工程都需要较长时间，一时难以奏效，而临水有滩地时，可采用此法，也可与抢护背水堤坡同时进行。

5．固脚阻滑法

在滑坡范围，将块石、土袋、铅丝石笼等重物抛投在滑坡体下部堤脚附近，起到阻止继续下滑和加固基础的作用。护脚加重数量可由堤坡稳定计算确定。除将滑动面上部和堤顶重物移走外，还要视情况将坡度削缓，以减小滑动力。

四、管涌

堤防附近堤基的渗透破坏常表现为沙沸(或称土沸)、泡泉(或称地泉)、浮动、土层隆起(或称"牛皮包")、鼓胀、断裂等,这些通常统称为管涌。管涌一般发生在堤防背水坡脚附近,或较远的潭坑、池塘或稻田中,在特殊的地基条件下,也可能出现在距堤1km以外。险情多呈孔状冒水冒沙的状态,孔径小的如蚁穴,大的直径达数十厘米;少则出现一两个,多则出现管涌群。一般粉细沙层,颗粒细小均匀,且无黏性,在很小的渗透压力作用下,粉细颗粒易被渗水带出,在出口处形成沙环。在高水位持续时间长时,挟带的沙粒不再沿出口停积成环,而是随渗水不断流失,孔口相应扩大。如不及时抢护,任其发展,把堤基下沙层掏空,可能导致堤防骤然坍塌,甚至造成决口成灾。因此,在发生管涌时,不论距堤远近,决不能掉以轻心,必须迅速抢护。

(一)出险原因

发生管涌的原因,一般堤基为强透水沙层,或地基上部为弱透水层,下部为强透水层,在水位升高时,渗透坡降变陡,渗透流速、压力加大。当渗透坡降大于堤身堤基土体临界渗透坡降时,即发生渗透破坏,形成管涌。或者背水坡脚以外地面,因取土、开渠、钻探、基坑开挖及历史上遗留下来的潭坑等,破坏了表层的弱透水层,高水位也会发生管涌险情。

(二)抢护原则

管涌险情是由于入渗水流带走土颗粒造成的。抢护管涌按照"反滤导渗,减缓渗流,制止泥沙流出,留有渗水出路"的原则。通过反滤导渗设施,防止地基泥沙被水流带出,或通过抬高背河侧水位,减缓渗透比降,使渗流不能把泥沙带出,但是堤基渗水要及时排走。对于小的仅冒清水的管涌,可以加强观察,暂不处理。对于出浑水的管涌,不论大小,必须迅速抢护。

(三)抢护方法

1.反滤围井法

在管涌出口处修筑反滤围井,制止涌水带沙,防止险情扩大。一般适用于背水地面出现数目不多和面积较小的管涌,以及数目虽多但未连成大面积而能分片处理的管涌群。对于水下管涌,当水深较小亦可采用。根据所用导渗材料的不同,有沙石反滤围井、梢料反滤围井、土工织物围井等方法。

2.减压围井法

减压围井法又称养水盆法。靠逐步壅高围井内水位减小水头差的原理,逐步降低渗压,减小渗透比降,制止渗透破坏,以稳定管涌险情。此法适用于当地缺乏反滤材料,临背水位差较小,出现管涌的周围地表较坚实,渗透系数较小的情况。主要有无滤围井、无滤水桶、背水月堤等方法。

3.反滤铺盖法

在背水堤脚附近出现管涌的地区,修筑反滤铺盖,降低涌水流速,制止泥沙流失,以稳定管涌险情。一般运用于管涌较多,面积较大并连成一片,涌水涌沙比较严重的地方。根据所用反滤材料不同,主要有沙石反滤铺盖、梢料反滤铺盖、土工织物反滤铺盖等方法。

4.透水后戗法

透水后戗法可以延长渗径,平衡渗压,减小渗透比降,并能导渗滤水,防止土粒流失,使险情趋于稳定。透水后戗的宽、高、长度应根据地基土质条件和渗流情况,以能制止涌沙,使浑水变清和限制发生管涌的范围来确定。

五、风浪淘刷

汛期涨水以后,堤前水深增大,风浪也随之增大。堤防临水坡在风浪一涌一退的连续作用下,伴随着波浪往返爬坡运动,使堤坡土料被水流冲击淘刷,使堤坡遭受破坏。轻者把临水堤坡冲刷成浪坎,重者造成堤坡坍塌、滑坡等险情,使堤身遭受严重破坏,甚至溃决成灾。

(一)出险原因

(1)堤防本身存在的问题,如堤身土料不合要求,碾压不实,护坡质量差等。

(2)堤防前水深大、水面宽、风速大,尤其是风向与最大吹程一致时,波浪的冲击力大。

(3)由于风浪爬高,增加了堤身的饱和范围,减弱了土壤的抗剪强度。

(4)堤顶高程低于波浪爬高位置时,波浪爬越堤坡,冲蚀堤顶,甚至造成溃堤决口。

(二)抢护原则

按消减风浪冲力,加强堤坡抗冲能力的原则进行。一般是利用漂浮物来消减风浪冲力,在堤坡受冲刷的范围内做防浪护坡工程,以加强堤坡的抗冲能力。一是利用漂浮物防浪,拒波浪于堤防临水坡以外的水面上,以削减波浪的高度和冲击力。二是增强堤防临水坡抗冲能力,即利用防汛料物,经过加工铺压,增强抵抗水流冲淘的能力,保护堤身安全。

(三)抢护方法

1.挂柳防浪

黄河两岸种柳较多,挂柳防浪是普遍采用的一种方法。当大堤受水流冲击或风浪拍击,堤坡或堤脚开始被淘刷时,用此法缓和溜势,减缓流速,保护堤坡。

2．挂枕防浪

柳枕防浪适用于水深不大,风浪较大的堤段。按照风浪的大小,可分别采用单枕防浪或连环枕防浪。如风浪较大,一枕不足以抵御风浪冲刷时,也可以连推几个枕用绳连系,做成枕排,称为连环枕。最前面的枕直径要大一些,相对密度小些,使其高浮水面,碰击高浪,依次枕的直径可减小,相对密度可增加(可酌加柳枝),以消余力。连环枕防浪效果较高,一般可以防水面较宽,七级以下的风浪。

3．柳箔防浪

在风浪较大,堤坡土质差的堤段,可采用此法。其位置除靠木桩和坠石固定外,必要时在柳箔面上再压块石或土袋,以免漂浮或滑动。在风浪顶冲严重的地方,可用双排柳箔防护。

4．土袋防浪

适用于土坡抗冲性差,当地缺少秸、柳软料,风浪袭击较严重的堤段。用麻袋或草袋装土或卵石、碎石、碎砖、沙等,根据风浪冲击范围顺堤坡摆放土袋,以保证防浪效果。一般土袋须高出水面1.0m或略高出浪高。

5．桩柳防浪

在堤身受风浪冲击范围的下沿先顺堤打木桩一排,再将柳枝、芦苇、秫秸等梢料顺铺在堤坡上,直至出水1.0m,再压以块石或土袋,以免梢料漂浮。若水位上涨,防护高度不足时,再退后作第二级桩柳防浪。

6．土工织物防浪

采用土工织物、土工膜布,铺设在堤坡上,以抵抗波浪对堤防的破坏作用。铺设宽度应按堤坡受风浪冲击的范围决定,铺设时将其范围内的堤坡上的块石、土块、树枝、杂草等清除干净。最好在洪水到来之前堤坡处于干燥时铺好,织物上沿一般应高出洪水位1.5~2.0m。

六、坍塌

坍塌险情是指堤防成块土体失去稳定而发生墩蛰所造成的险情。当水流冲刷堤坡或堤脚,带走部分土体,使坡度变陡,上层土体失稳快速崩塌。

(一)出险原因

(1)当水位时涨时落或溜势上提下挫堤段,常冲淘堤脚或临近的堤坡,致使上部堤身部分土体失稳而坍塌。遇土质不佳、坡度较陡、水深溜急的情况时,更易造成大块土体坍塌。

(2)堤身土体经长期风雨剥蚀、冻融,黏性土的干缩,施工时碾压不实,以及堤身有隐患等,常使堤身发生裂缝,破坏土体的整体性。遇水浸入、水流冲刷、风浪冲刷时,易于引起坍塌。

(3)堤基为粉细沙土,遇强烈地震时发生液化,也会造成严重的坍塌。

(二)抢护原则

(1)鉴于严重的坍塌险情会很快影响整个堤防的稳定性,所以对可能发生坍塌险情的堤段,要尽早采取预防措施,防止坍塌险情的发生。

(2)护基、护脚、护坡,防止险情扩大。

(3)缓流,减少水流作用力。

(4)减载加帮,维持尚未坍塌堤防的稳定性。

(三)抢护方法

1.护脚防冲法

当堤防受水溜冲刷,堤脚或堤坡已冲成陡坎,若不抓紧抛护就要发生严重坍塌时,可采用此法抢护。在该部位抛投块石、土袋、铅丝石笼或柳石枕等防冲物体,加以防护。

2.沉柳护脚法

堤防临水堤坡发生较大的险情时,采用枝叶茂密的柳树头,用铅丝或麻绳将大块石或土袋捆扎在柳树头的树杈上,用船抛投,待船定位后,将树头推入水中。从下游向上游,由低处至高处,依次抛投,使树头依次排列,紧密相联。此法对减缓近岸流速抗御水流冲刷较为有效,对多沙河流效果更为显著。

3.桩柳护坡法

在水不太深的情况下,堤坡堤脚受水流淘刷而坍塌时,可采用此法。先摸清坍塌部位的水深,决定木桩的长度,在坍塌处的下沿打桩一排,桩顶略高于坍塌部分的最高点。用铅丝或细麻绳将散柳(或软料)捆扎而成柳把、秸把或苇把,并与木桩拴牢。其后用散柳、散秸或其他软料铺填厚 0.2m 左右,软料背后再用黏性土填实。在坍塌部位的上部与前排桩交错另打长约 0.5~0.6m 的签桩一排,桩距仍为 1.0m,略露桩顶。用麻绳或 14 号铅丝将前排桩拉紧,固定在签桩上,以免前排桩受压后倾倒。最后用黏土或黏性土厚 0.2~0.3m 封顶。

除上述坍塌险情抢护的方法外,还可采用黄河埽工中常用的柳石软搂法、柳石搂厢等方法。

七、陷坑

陷坑又称跌窝。在持续的高水位下,堤防顶部、边坡及堤脚附近突然发生局部下陷而形成的险情。降大雨时及雨后堤防也可能突然发生局部沉陷的险情。这种险情既破坏堤防的完整性,又常缩短渗径。有时伴随渗水、管涌或漏洞同时发生,严重时有导致堤防突然失事的危险。

(一)出险原因

(1)堤身堤基局部不密实;施工时两工段接头未处理好;施工中碾压不实;水沟浪窝回填不实;堤内涵管断裂或土石结合部漏水等,经大水浸泡或雨水淋泡形成陷坑。

(2)堤身、堤基内有獾、狐、鼠、蚁等动物洞穴;坟墓、地窖、防空洞、刨树坑后夯填不实等人为洞穴;过去抢险用的木材、梢料等日久腐烂形成的空洞等。遇大水浸泡或雨水淋泡,隐患周围土体湿软塌落而成陷坑。

(3)伴随渗水、管涌或漏洞形成。由于堤防渗水、管涌、漏洞等险情未能及时发现和处理,使堤身或堤基内的土壤局部被水流冲走、架空,最后支撑不住,发生塌陷而成陷坑。

(二)抢护原则

根据险情出现部位,采取不同措施,抓紧翻筑抢护,防止险情扩大。条件允许的情况下,尽量采用分层填土夯实的办法处理。条件不允许时,可作临时性的填土处理。如陷坑处伴有渗水、管涌、漏洞等险情,也可采用填筑反滤导渗材料的办法处理。

(三)抢护方法

1.翻填夯实法

先将跌窝内的松土翻出,然后分层填土夯实,直到填满跌窝,恢复堤防原状为止。如跌窝出现在水下且水不太深时,可修围堰,将水抽干后,再予翻筑。翻筑所用土料,如跌窝位于堤顶或临水坡时,宜用防渗性能不小于原堤土的土料,以利防渗;如位于背水坡宜用排水性能不小于原堤土的土料,以利排渗。

2.填塞封堵法

用草袋、麻袋装黏性土或其他不透水材料直接在水下堵塞陷坑,待全部填满后再抛投黏性散土加以封堵和帮宽。要封堵严密,避免从陷坑处形成渗水通道。

3.填筑滤料法

陷坑发生在背水坡,伴随有渗水、管涌或漏洞险情,除尽快对临水坡渗漏通道进行堵截外,对陷坑可采用此法抢护。先将陷坑内松土和湿软土壤挖出,然后用粗沙填实;如涌水水势严重时,可加填梢料消杀水势后,再予填实。继而按背水坡导渗要求铺设反滤层。

八、裂缝

堤防裂缝按其出现部位可分为表面裂缝、内部裂缝;按其走向可分为横向裂缝、纵向裂缝、龟纹裂缝;按其成因可分为沉陷裂缝、滑坡裂缝、干缩裂缝、冰冻裂缝、振动裂缝。其中,以横向裂缝和滑坡裂缝危害最大,应加强观测。堤防裂缝是常见的一种险情,也可能是其他险情的预兆。因此,对裂缝应引起足够的重视。

(一)出险原因

(1)堤基土壤不均,物理力学性质差别大,修堤后压缩变形相差大,发生不均匀沉陷裂缝。

(2)修堤中土料选择不严,用淤土、冻土、硬土块填筑,碾压不实,以及新旧土结合部未处理好,在浸水饱和时,易出现各种裂缝,甚至蛰裂。

(3)修堤时,土料含水量过大,或采用黏性土填筑,时间长后出现干缩或冰冻裂缝。

(4)在高水位渗流作用下,背水堤坡由于抗剪强度降低,引起弧形滑坡裂缝,特别是背水有塘坑、堤脚软弱时,容易发生。

(5)临水堤脚被冲刷淘空以及水位骤降时,引起临水坡半月形滑动裂缝。

(6)由于堤身存在隐患,如蚁穴、獾狐洞等,在渗流作用下,易引起局部沉陷裂缝。

(7)堤防与刚性建筑物接合处,因结合不良,在不均匀沉陷以及渗水作用下,引起裂缝。

(8)地震或附近爆破造成堤防基础或堤身沙土液化,也会造成裂缝。

(二)抢护原则

处理裂缝要先判明成因,属于滑动性或坍塌性裂缝,应先从处理滑动和坍塌着手,否则达不到予期效果。

横向裂缝是最危险的裂缝。如已横贯堤身,水流易于穿越,冲刷扩宽,甚至形成决口。如部分横穿堤身,也因缩短了渗径,浸润线抬高,使渗水加重,引起堤身破坏。因此,对于横向裂缝,不论是否贯穿堤身,均应迅速处理。

纵向裂缝如系表面裂缝,可暂不处理,但应注意观察其变化和发展,并应堵塞缝口,以免雨水进入。较宽较深的纵缝,则应及时处理。

龟纹裂缝一般不宽不深,可不进行处理;较宽较深时可用较干的细土予以填缝,用水洇实。

(三)抢护方法

1. 开挖回填法

开挖回填法是处理裂缝最彻底的方法。该法适用于没有滑坡可能的纵向裂缝,并经观察和检查已经稳定。在开挖前,宜先用经过滤的石灰水灌入裂缝内,以便了解裂缝的走向和深度。开挖时沿裂缝开挖一条沟槽,一般采用梯形断面,深度挖到裂缝下 0.3~0.5m,底宽至少 0.5m,沟槽两端应超过裂缝 1m以上。回填土料应和原堤土种类相同,含水量相近,并在适宜含水量范围内。回填要分层填土夯实,每层厚度约 20cm,顶部应高出堤面 3~5cm,并做成拱形,以防雨水灌入。

2. 横墙隔断法

沿裂缝方向每隔 3~5m 与裂缝垂直方向开挖沟槽。除垂直方向沟槽的槽底长度可按 2.5~3.0m 掌握外,其他开挖和回填要求均与开挖回填法相同。如裂缝前端已与临水相通,或有连通可能时,开挖沟槽前应在临水缝前先作前戗截流。若沿裂缝堤背已有漏水时,还应同时在背水坡做反滤导渗,以避免堤土流失。开挖施工,要分段开挖回填,以免水位升高时施工被动。此法适用于抢护横向裂缝。

3. 裂缝灌浆

缝宽较大深度较小的裂缝,可用自流灌浆法处理;如缝深大,开挖困难,可用压力灌浆法处理。这时可将缝口逐段封死,将灌浆管直接插入缝内,也可将缝口全部堵死,由缝侧打眼灌浆,反复灌实。不稳定的裂缝不能采用压力灌浆处理办法。采用压力灌浆对已稳定的纵横缝都适用,效果也好,但是不能用于滑动性裂缝,以免裂缝发展。

第三节　河道整治工程险情抢护

河道整治工程主要由险工和控导工程组成,坝垛险情一般有 4 种,即坍塌、滑动、漫溢、溃膛塌陷等。

一、坝垛坍塌抢险

坍塌险情有护根坍塌、护坡坍塌、护坡与护根同时坍塌及部分坝基与护根护坡整体坍塌等。坍塌的速度取决于工程根基强弱,老工程一般是以平墩慢蛰的形式出现;新修工程则多以猛墩猛蛰的形式出现,即突然发生大体积的坍塌险情。

坍塌险情是坝垛最常见的一种较危险的险情。坍塌险情又可分为塌陷、滑塌和墩蛰3种。塌陷是坝垛坡面局部发生轻微下沉的现象;滑塌是护坡在一定长度范围内局部或全部失稳发生明塌下落的现象;墩蛰是坝垛护坡连同部分土坝基突然蛰入水中,是最为严重的一种险情,如抢护不及时就会产生断坝、垮坝等重大险情。

(一)出险原因

当水流作用于坝垛时,水流向坝垛表面扩散,扩散的水流一般由3部分组成:第一部分平行坝面向下游运行;第二部分沿坝面折向坝垛底脚,冲刷河床;第三部分向第一部分的相反方向运行,即常称的"回流"。在一定工程基础条件下,这3部分水流强度的大小及不同组合决定了坍塌险情的大小及表现形式。

(二)抢护方法

一旦发现险情,应本着"抢早、抢小、快速加固"的原则进行抢护,坝垛坍塌险情常用的抢护方法有如下几种:

1.抛块石或铅丝笼

采用抛石、抛笼的方法进行加固,利用机械或人工将块石(混凝土块)或铅丝笼抛投到出险部位,加固坝垛坡脚。块石的抛投量和抛投速度要大于塌陷险情,提高坝体的抗冲性和稳定性,并将坝坡恢复到出险前的设计状况。

2.抛土袋

当块石短缺或供给不足时,也可采用抛土袋等方法进行临时抢护。方法是:在草袋、麻袋、土工编织袋内装入土料,每个土袋重量应大于50kg,土袋装土的饱满度为70%~80%,以充填沙土、沙壤土为好,装土后用铅丝或尼龙绳绑扎封口,土工编织袋应用手提式缝包机封口。

抛土袋护根最好是从船上抛投,或在岸上用滑板滑入水中,层层压叠。流速较大时,可将几个土袋用绳索捆扎后投入水中;也可将多个土袋装入预先编织好的大型网兜内,用吊车吊放入水或用船、滑板投放入水。

3.抛柳(秸)石枕

当坝基土胎外露,险情较严重时,水流会淘刷土坝基,仅抛块石抢护速度慢、耗资大,这时可采用抛柳石枕进行抢护。枕长一般5~10m,直径0.8~1.0m,柳、石体积比2:1,也可按流速大小或出险部位调整比例。

4.抛土袋枕

土袋枕是由编织布缝制而成的大型土袋,装土成形后形状类似柳石枕。由于空袋可预先缝制且便于仓储,当发现险情后可迅速运往出险地点装土抛投,因此土袋枕具有以下特点:

(1)运输方便,操作简单,抢险速度快。

(2)船抛、岸抛、人工抛、机械抛均可,适用范围广。

(3)对土质没有特殊要求,用其代替抛石投资省。

用其替代柳石枕,有利于保护生态环境。

5.柳石搂(混)厢

柳石搂(混)厢是以柳(或秸、苇)石为主体,以绳、桩分层连接成整体的一种轻型水工结构,主要用于坝垛墩蛰险情的抢护及在堤、岸严重崩塌处抢修工程。它具有体积大、柔性好、抢险速度快的优点,但操作复杂,关键工序的操作人员要进行专门培训。

二、坝垛滑动抢险

滑动险情主要发生在险工上,当坝高较大、坡度较陡、基础较差时,有可能发生"圆弧滑动"式险情,护坡、护根及坝基(部分)整体向下滑塌。

坝垛在自重和外力作用下失去稳定,护坡连同部分土胎从坝垛顶部沿弧形破裂面向河内滑动的险情称为"滑动险情"。坝垛滑动分骤滑和缓滑两种。骤滑险情突发性强,易发生在水流集中冲刷处,故抢护困难,对防洪安全威胁也大,这种险情看似与坍塌险情中的猛墩猛蛰相似,但其出险机理不同,抢护方法也不同,应注意区分。

(一)出险原因

坝岸滑动与坝垛结构断面、河床组成、基础的承载力、坝基土质、水流条件等因素有关。当滑动体的滑动力大于抗滑力时,就会发生滑动险情。

(二)抢护原则及方法

坝垛整体滑动出险在坝垛险情中所占的比例较少,不同的滑动类别采用的抢护方法也不同。对"缓滑"应以"减载、止滑"为原则,可采用抛石固根等方法进行抢护;对"骤滑"应以搂厢或土工布软体排等方法保护土胎,防止水流进一步冲刷坝岸。

1.抛石固根及减载抢护

抛石一定要选在坝垛坡脚附近,压住滑动面底部出逸点,避免将块石抛在护坡中上部。当水位比较高时,应选用船只抛投或吊车抛放。在固根的同时,还应做好坝垛上部的减载,如移走备防石,拆除洪水位以上部分,放缓坝体边坡等,以减轻载荷。

2.土工布软体排抢护

当坝垛发生"骤滑",水流严重冲刷坝后土胎时,除可采取搂厢抢护外,还可以采用土工布软体排进行抢护。其方法是:用聚丙烯或聚乙烯编织布若干幅,按常见险情出险部位的大小缝制成排布。在坝垛出险部位的坝顶展开排体,将横袋内装满土或沙石料后封口,然后以横袋为轴卷起移至坝垛边,排体上游边应与未出险部位搭接。在排体上、下游侧及底钩绳对应处的坝垛上打顶桩,将排体上端缆绳的两端分别拴在桩上,然后将排推入水中。同时,控制排体下端上、下游侧缆绳,避免排体在水流的冲刷下倾斜,使排体展开并均匀下沉。最后向竖袋内装土或沙石料,并依照横袋沉降情况适时放松缆绳和底钩绳,直到横袋将坝体土胎全部护住。

三、坝垛漫溢防护

漫溢险情主要发生在控导工程上。由于坝顶允许漫溢且又无抗冲材料防护,当过坝水流流速较大时,对土坝基顶部就造成冲刷破坏。

(一)出险原因

(1)当发生大洪水时,河道宣泄不及,洪水超过坝垛设计标准,水位高于坝顶,或施工中遇到漫顶洪水。

(2)设计时其中对波浪的计算,与实际差异较大,实际浪高超过计算浪高,并在最高水位时越过坝垛顶部。

(3)施工中坝垛未达到设计高程,或因地基有软弱夹层,填土夯压不实,产生过大的沉陷量,使坝垛顶高程低于设计值。

(4)由于潜坝、控导护滩工程顶部设计标准较低,在较大洪水时,出现漫顶险情。

(二)抢护原则

当确定对坝垛漫溢进行抢护时,采取的原则是:"加高止漫,护顶防冲"。即根据预报和工程实际情况,抓紧一切时机,尽全力在坝岸顶部抢筑子堤,力争在洪水到来以前完成,防止漫溢发生;也可采取措施在坝顶铺置防冲材料,保护顶部免受冲刷。

(三)抢护方法

(1)修筑子堤。由于抢护时间紧,战线长,为节省工程量,加高坝垛顶部一般常采用子堤的形式。常见的子堤类型有:土料子堤、土袋子堤、柳石(土)枕子堤。

(2)护顶防漫。当预报水位较高,子堤抢护难以奏效时,漫溢不可避免。为防止过坝水流冲刷破坏,可在坝顶铺设防冲材料防护。常用方法有柳把护顶和土工布护顶。

(四)注意事项

(1)根据洪水预报,估算洪水到达当地的时间和最高水位,抓紧拟订抢护方案,积极组织实施。务必抢在洪水漫溢之前完成。

(2)抢筑子堤必须全线同步施工,突击进行,不能做好一段,再做另一段。决不允许中间留有缺口或低凹段等。

(3)抢筑子堤要保证质量,并做好防守抢险加固准备工作。不能使子堤溃决,失去防护作用。

四、坝垛溃膛险情抢护

溃膛塌陷险情发生在护坡与坝基结合部。坝垛溃膛,也叫淘膛后溃(或串塘后溃),是坝胎土被水流冲刷,形成较大的沟槽,导致坦石陷落的险情。

(一)出险原因

(1)乱石坝。因护坡石间隙大,与土坝基(或滩岸)结合不严,或土坝基土质多沙,抗冲能力差,除雨水易形成水沟浪窝外,当洪水位相对稳定时,受风浪影响,水位变动处坝基土也会逐渐被淘蚀,导致坦石坍塌后退,失去防护作用而导致险情发生。

(2)扣石坝或砌石坝。水下部分有裂缝或腹石存有空洞,水流串入土石结合部,淘刷形成横向沟槽,使腹石错位坍塌,在外表反映为坦石变形下陷。

(二)抢护原则

抢护坝垛溃膛险情的原则是"翻修补强",即发现险情后拆除水上护坡,用抗冲材料补充被冲蚀土料,加修后膛,然后恢复石护坡。

(三)抢护方法及注意事项

1. 抛石抢护法

此法适用于险情较轻的乱石坝,即坦石塌陷范围不大,深度较小且坝顶未发生变形的险情。抢护时用块石直接抛于塌陷部位,并略高于原坝坡,一是消杀水势,增加石料厚度;二是防止上部坦石下塌,险情扩大。

2. 抛土袋抢护法

若险情较重,坦石滑塌入水,土坝基裸露,可采用土工编织袋、麻袋、草袋装土等进行抢护。

3．抛枕抢护法

如果险情严重，坦石坍塌入水，坝基裸露，土体冲失量大，险情发展速度快，可采用大柳石枕(又叫懒枕)、柳石搂厢等方法进行抢护。

汛后水位降低后，将出险处开挖，重新处理，修做垫层，再恢复原工程结构。

4．注意事项

(1)抢护坝垛溃膛险情，首先要通过观察找出串水的部位进行截堵，消除冲刷。在截堵串水时，切忌单纯向沉陷沟槽填土，以免仍被水流冲走，扩大险情，贻误抢险时机。

(2)坝体蛰陷部分，要根据具体情况相机采用懒枕或柳石搂厢等法抢护。

(3)坝垛前采用抛石或柳石枕法维护，以防坝体滑塌前爬。

(4)水位降低后或汛后，应将抢险时充填物全部挖出，按照设计和施工要求进行修复。

第四节　穿堤建筑物险情抢护

为控制水流、防治水害、开发利用水资源而在堤防上修建的分洪闸、引(退)水闸、灌排站、虹吸以及其他管道建筑物，在水流影响下，这些建筑物本身和建筑物与堤防土石结合部，可能产生滑动、倾覆、渗漏等险情。

一、涵闸渗水及漏洞抢险

在涵闸、管道等建筑物的某些部位，如边墩、岸墙、刺墙、护坡、管壁等与土基或土堤结合部，易产生裂缝或空洞，在高水位渗压作用下，沿结合部形成渗流或绕渗，冲蚀填土，在闸背水侧坡面、坡脚发生渗透破坏，出现管涌、漏洞等险情，导致涵闸、管道建筑物的破坏，从而造成洪水灾害。

(一)出险原因

(1)涵闸的边墩、岸墙，护坡的混凝土或砌体与土基或堤身结合部土料回填不实。

(2)闸体与土堤所承受的荷载不均，引起不均匀沉陷、错缝，遇到降雨，地面径流进入冲蚀形成陷坑，或使岸墙、护坡失去依托而蛰裂、塌陷。

(3)洪水顺裂缝造成集中绕渗。根据岩土性质不同，基础渗漏在软基中以孔隙渗漏为主，通过砂砾石或壤土中的空隙产生渗漏，严重时在建筑物下游侧可造成管涌、流土，危及涵闸、堤防等建筑物的安全。

(二)抢护原则及方法

抢护漏洞、渗水的原则是"上截下排",即临水堵塞漏洞进水口,背水反滤导渗。在上游加强或增设防护体,首先应寻找漏洞、渗水进水口加以封堵,以切断漏水通道;在下游抢修反滤排水,以降低出水口处水压或浸润线,并导出渗水。

1.堵塞漏洞进口

(1)篷布覆盖。该法一般适用于涵洞式水闸闸前临水堤坡上漏洞的抢护。覆盖用布可为篷布或土工布,幅宽2~5m,长度要能从堤顶向下铺放至将洞口严密覆盖,并留一定裕度。为提高封堵效果,可在篷布上面抛压土袋"闭气"。

(2)水下堵漏法。当水下混凝土建筑物裂缝较大或有孔洞时,可用浸油麻丝、桐油灰掺石棉绳、棉絮等嵌堵;当裂缝漏洞较小时,可用瓷泥、环氧砂浆粘堵并加压顶紧。对闸门渗(漏)水可用黏土、棉絮堵塞。

2.背河导渗反滤

当渗流已在涵闸下游堤坡出逸时,为防止流土或管涌等渗流破坏,致使险情扩大,须在出逸处采取导渗反滤措施。

(1)沙石反滤。使用筛分后的沙石料。对一般用壤土填筑的堤防,可按3层反滤结构填筑,滤水汇集的水流,可通过导管或明沟流入涵闸下游排走。

(2)土工织物滤层。滤层使用幅宽2~4.2m,长20m,厚2~4.8mm的有纺或无纺土工织物。据国内一些工程的使用经验,用一层3~4mm厚的土工织物滤层,可代替沙石料反滤层。

铺设前要对坡面进行平整,清除杂草,使土工织物与土面接触良好。铺放时要避免尖锐物体扎破织物。土工织物幅与幅之间可采用搭接,搭接宽度一般不小于0.2m。为固定土工织物,每隔2m左右用"〔"形钉将其固定在堤坡上。

3.中堵截渗

(1)开膛堵漏。在临河漏洞进口堵塞、背水导渗反滤取得成效之后,为彻底截断渗漏通道,可从堤顶偏下游侧,在涵闸岸墙与土堤结合部开挖长3~5m的沟槽,开挖边坡为1∶1左右,沟底宽2m。当开挖至渗流通道时,将预先备好的木板紧贴岸墙和流道上游坡面,用锤打入土内,然后用含水量较低的黏性土或灰土(灰土比1∶3~1∶5)迅速分层将沟槽回填并夯实。

(2)喷浆截渗。高压喷射灌浆喷嘴的出口压力高达20MPa,喷射流具有破碎土体和输送固化物质的能力,从而使破碎土与固化剂搅拌混合并固结形成薄壁截渗墙体。高压喷射灌浆主要配套机具有灌浆泵、动旋喷射或定向喷射的专用钻机以及空压机、高压水泵和浆液搅拌系统。

高压喷射薄板墙和压力灌浆阻渗法,一般适用于混凝土或砌石体与土结合部渗漏不甚严重的险情,或作为堵漏后的加固措施。

(3)模袋堵漏法。对于涵闸土石结合部或闸基出现的大渗漏孔洞,可采用以灌浆方法充填好的土工模袋堵塞渗漏通道的方法。

土工模袋具有透水不透浆的特点,能保证所充填的封堵材料快速固化。灌浆材料可充分利用当地廉价材料(如黏土、沙性土等),利用水泥作为主要固化剂。对闸基或土石结合部中的孔洞,模袋从钻孔中下入,然后通过连接的灌浆管进行模袋灌注,使模袋胀大阻水,而被灌注的材料不会被动水冲散。

二、水闸滑动抢险

修建在软基上的开敞式水闸,当高水位挡水时,水平方向推力过大,闸基扬压力也相应增大,从而出现抗滑阻力不能平衡水平推力而产生建筑物内闸下游侧移动失稳的险情,如抢护不及,将导致水闸失事。滑动可分为 3 种类型:①平面滑动;②圆弧滑动;③混合滑动。其共同特点是基础已受剪切力破坏,发展迅速。当基础发生滑动时,抢护是十分困难的,须在发生滑动征兆时采取紧急抢护措施。

(一)出险原因

修建在软基上采用浮筏式结构的开敞式水闸,主要靠自重及其上部荷载在闸底板与土基之间产生的摩阻力维持其抗滑稳定。由于下列原因,可能使水闸产生向下游滑动失稳的险情:

(1)当上游挡水位超过设计水位,下游水位低于设计水位时,水平水压力增加,渗透压力和上浮力也增大,降低了抗滑力,从而使水平方向的滑动力超过抗滑摩阻力。

(2)防渗、止水设施破坏,反滤失效,增大了渗透压力、浮托力,造成地基土壤渗透破坏甚至发生冲蚀。

(3)上游泥沙淤积产生新的水平推力。

(4)其他附加荷载超过原设计限值,如地震力等。

(二)抢险原则与方法

抢险原则是增加阻滑力,减小水平推力,以提高抗滑安全系数,预防滑动。

1.加载增加摩阻力

该法是在水闸的闸墩、公路桥面等部位,堆放块石、土袋或钢铁等重物,加载量由稳定验算确定。这一方法适用于平面缓慢滑动险情的抢护。加载时要

注意:

    (1)加载不得超过地基许可应力,否则会造成地基大幅度沉陷。

    (2)具体加载部位的加载量不能超过该构件允许承载能力。

    (3)堆放重物的位置,要考虑留出必要的通道。

    (4)一般不要向闸室内抛物增压,以免压坏闸底板或损坏闸门构件。

    (5)险情解除后要及时卸载,进行善后处理。

    2．下游堆重阻滑

    该法是在水闸下游趾部可能出现的滑动面的下端,堆放土袋、沙袋、块石等重物,防止滑动。这一方法适用于对圆弧滑动和混合滑动两种险情的抢护。重物堆放位置及数量由阻滑稳定验算确立。

    3．下游蓄水平压

    在水库下游一定范围内用土袋或土料筑成围堤,适当壅高下游水位,减小上下游水头差,以抵消部分水平推力。修筑围堤的高度要根据壅水对闸前水平作用力的抵消程度进行分析,堤顶宽约 2m,土围堤边坡 1:2.5,堆土袋边坡 1:1,要留 1m 左右的超高,并在靠近控制水位处设溢水管。如为防御黄河下游大洪水,每年汛前对部分不安全的涵闸设有闸后临时填筑围堰,堰顶高程据情而定,堰顶宽 4m,边坡 1:2,以便于大洪水、高水位时在闸后形成养水盆。

    4．圈堤围堵

    在建筑物的临水面前沿滩地修筑临时圈堤,圈堤高度通常与闸两侧堤防高度相同,顶宽应不小于 5m,以利施工和抢险。圈堤边坡 1:2.5～1:3。圈堤临河侧可堆筑土袋,背水侧填筑土戗,或者两侧均堆筑土袋,中间填土夯实,以减少土方量。土袋堆筑边坡为 1:1。

三、闸基渗水或管涌抢险

    涵闸闸基在高水位渗压作用下,局部渗透坡降增大,集中渗流可能引起管涌和流土。当止水防渗系统破坏或原设计渗径不足,渗流比降超过地基土允许的安全比降时,非粘性土中的较细颗粒随水浮动或流失,在闸后或止水破坏处发生冒水冒沙现象,亦称"翻沙"或"地泉"。险情继续发展扩大,可形成贯通临背水的管涌或漏洞险情,若不及时抢护,地基土将大量流失出现严重塌陷,从而造成闸体剧烈下沉、断裂或倒塌失事。因此,对涵闸本身及闸基产生的异常渗水甚至管涌、流土,要及时进行处理,以确保涵闸的渗透稳定,保证其安全度汛。

(一)出险原因

当涵闸地下轮廓渗径不足，渗流比降大于地基土允许比降时，可能产生渗水破坏，从而形成冲蚀通道；地基表层为弱透水薄层，其下埋藏有强透水沙层，承压水与河水相通，当闸下游出逸渗透比降大于土壤允许值时，也可能发生流土或管涌，冒水冒沙，形成渗漏通道，危及闸体安全。

(二)抢护原则与方法

抢护的原则是：上游截渗、下游导渗，或蓄水平压减小水位差。条件许可时，应以上截为主，下排为辅。上截即是在上游侧或迎水面封堵进水口，以截断进水通道，防止入渗；下排(导)是在下游采取导渗和滤水措施将渗水排走，以降低基础扬压力。具体措施如下：

(1)上游阻渗。关闭闸门停泄，在渗漏进口处，由潜水人员下水用黏土袋填堵进口，再加抛散黏土封闭；或利用洪水挟带的泥沙，在闸前落淤阻渗，以及用船在渗漏区抛填黏土，形成铺盖层阻止渗漏。

(2)在下游管涌或冒水冒沙区修筑反滤围井。

(3)在下游修筑围堤蓄水平压，减小上下游水头差。

(4)下游滤水导渗。当闸下游冒水冒沙面积较大或管涌成片出现时，可在渗流破坏区分层铺填中粗沙、石屑、碎石修筑反滤层。反滤层下细上粗，每层厚 20～30cm，上面压块石或土袋。也可采用土工织物反滤层，上压土袋，但土工织物选择要符合反滤准则要求。

四、建筑物上下游坍塌险情抢护

在汛期高水位时，水闸关门挡水或分洪闸开闸分洪，时常会出现下游防冲槽、消力池、海漫、岸墙及翼墙等建筑物受闸基渗流冲蚀、泄流冲刷，引起坍塌；或地基压实不够，在建筑物自重或外力作用下，地基发生变形，局部出现冲刷、蛰陷或坍塌等险情，如不及时抢护，必将危及水闸安全。

(一)出险原因

当闸前遭受大溜顶冲，风浪淘刷；闸下游泄流不匀，出现折冲水流时，使消能工、岸墙、护坡、海漫及防冲槽等受到严重冲刷，导致砌体冲失、蛰裂、坍陷，形成淘刷坑。

(二)抢护原则及方法

抢护原则是加强抗冲能力，填塘固基以降低水流冲刷能力。

(1)抛投块石或混凝土块。当护坡及翼墙基脚受到淘刷时，抛石体可高出基面；对护坦、海漫等部位，一般抛填至原设计高程。

（2）抛石笼。用铅丝编笼，将块石或卵石装入笼内，抛入冲刷坑内。笼体一般容积为 $0.5\sim1.0\text{m}^3$，笼内装石不可过满，以利抛下后笼体变形减小空隙。

（3）抛土袋。在缺乏石料时，将土装入麻袋或编织袋，袋口扎紧或缝牢后抛入淘刷坑内。袋内装土不宜过满，以便搬运和防止摔裂。人工抛投以 50kg 为宜；若用机械抛填，根据袋的强度，可加大重量。也可将土袋装入尼龙网中用机械抛填。

（4）土工织物抢护。当闸下游水流冲刷或土石结合部渗流作用造成闸下游护坡坍塌时，可根据岸坡土质，选用土工织物反滤，上压土袋进行抢护。

（5）闸后修筑壅水坝。在闸后抢修壅水坝，抬高尾水位，减缓流速，其形式类似于下游围堤蓄水平压，其实质是截断或减轻冲刷水流，避免高速水流对涵闸上下游连接建筑物的冲刷破坏。

（6）围堵。闸前抢修围堤，堵截冲刷水流，达到保护涵闸上下游连接建筑物的目的。该方法适用于闸前滩地宽阔，便于修筑围堤的情况。

五、穿堤管道险情抢护

埋设于堤身的各种管道，如虹吸管、扬水站出水管、输油管、输气管等，一般为铸铁管、钢管或钢筋混凝土管。管道工作条件差，容易出现断裂、锈蚀；回填土体夯压不实，易引起冲蚀渗漏等险情，若遇大洪水，抢护非常困难，应予高度重视。

（一）出险原因

（1）堤身不均匀沉陷、内外荷载超过管道设计极限等，均能造成管接头开裂或管道断裂。

（2）管道漏水沿管壁冲蚀堤土。管内水流的吸力，将结合不严密的管道周围的堤土吸入管内泄去，造成堤身洞穴；或者管道周围填土不密实，且无截渗环，导致管壁与堤土接触面形成集中渗流，严重时造成堤内空洞坍陷形成坍坑。

（3）铸铁管道或钢管制造质量不高，又无有效防腐措施，在大气干湿交替或浸水条件下工作，钢材与水或电解质溶液接触，在电化学、水化学的长期作用下，造成管接头开裂，管道本身锈蚀、断裂或管壁锈蚀穿孔，形成渗漏，淘刷堤身。

（二）抢护原则及方法

抢护原则是临河封堵、中间截渗和背河反滤导渗。对于虹吸管等输水管道，发现险情应立即关闭进口阀门，排除管内积水，以利检查监视险情；对于没有安全阀门装置的,洪水前要拆除活动管节,用同管径的钢盖板加橡皮垫圈和螺栓严密封堵管的进口。

（1）临河堵漏。若漏洞口发生在管道进口周围,可参照本章第二节漏洞抢险方法,用"软楔"或旧棉絮等堵塞漏洞进口。有条件时,可在漏洞前用土袋抛筑月堤,抛填黏土封堵。

（2）压力灌浆截渗。在沿管壁周围集中渗流的情况下,可采用压力灌浆堵塞管壁四周空隙或空洞。浆液用黏土浆或加 10% ～15% 的水泥,宜先浓后稀。为加速浆液凝结,提高阻渗效果,浆液内可适量加水玻璃或氯化钙等。

对于内径大于 0.7m 的管道,可安排人进入管内,用沥青或桐油麻丝、快凝水泥沙浆或环氧沙浆将管壁上的孔洞和接头裂缝紧密填塞。

（3）反滤导渗。若渗流已在背水堤坡或出水池周围逸出,要迅速抢修沙石反滤层或反滤围井进行导渗处理。

（4）背河抢修围堤,蓄水平压。

第八章　黄河历史大洪水及防洪防凌

根据实测资料和调查分析,在黄河中下游干流发生过数次大洪水和比较严重的冰凌洪水,部分支流也发生过较大的洪水。年代较远的历史洪水,因没有确切的实测水文数据,现有的各种研究成果,都是在野外调查和分析部分县府志书、地方官员奏章、批折及宫廷历史档案等基础上,经多方考证后得出的。本章仅就其中对黄河中下游影响比较大的几场洪水,本着详今略古的原则做一简单介绍。

第一节　新中国成立以前的干流主要洪水

一、1761 年 8 月下游洪水

1761 年 8 月(清乾隆二十六年七月),黄河三门峡至花园口区间(以下简称三花间)伊、洛、沁河诸支流及干流区间均发生了持续时间长达 4～5 天的大暴雨,伊洛河、沁河干流区间洪水同时并涨,相互遭遇,形成了数百年来一次罕见的大洪水,估算花园口洪峰流量高达 32 000m³/s,5 天洪量 85 亿 m³,12 天洪量达 120 亿 m³。这场洪水的特点是:降雨面积大,分布范围广,干支流同时遭遇,洪峰高,洪量大,持续时间长,为数百年以来的最大洪水。

形成这次洪水的降雨发生在 8 月 11～20 日,历时约 10 天,除三花间外,汾河、漳河、卫河和淮河流域的北汝河同时都有较大降雨,但以三花区间为最大。类似"秋七月大雨连日,沁涑二河暴涨"、"七月十五日大雨四昼夜,渑洛溢"等历史记载,在有关县志中都可以查到。

伊洛河流域出现了 4 天的大暴雨,伊河上游嵩县洪水漫溢。洛河流域洪水更大,洛阳河段洪水漫溢,冲塌坛庙、村庄。沁河同时涨水,沁阳城府内水浅者五六尺,深者一丈二三尺。三门峡至花园口区间支流普遍发生漫溢。干支流普降大雨,同时涨水,遭遇相加,形成了这场历史罕见的洪水。

有关专家研究认为:1761 年洪水是三花间近 400 年以来的最大洪水,伊洛河、沁河和干流区间同降暴雨,干支流同时涨水并遭遇,是黄河下游最为不

利、对防洪构成最大威胁的一种组成类型。

这场洪水造成黄河下游极为严重的洪涝灾害。伊洛河夹滩平地水深一丈以上,沁河下游洪水横溢,沿河各县府城全部大水灌城,损失极为惨重。黄河下游南北两岸共计决口 26 处。河南有 10 个州县被大水所冲,16 州县的村庄农田被淹;山东受淹 12 州县,其中被水冲 2 个;安徽 4 个州县受淹,灾情震动朝野。

1761 年这场由发生在三花间的大暴雨而形成的大洪水告诫我们,在上游来水不大的情况下,三门峡至花园口区间只要遭受强大暴雨,下游就有可能发生大洪水。虽然随着人类活动的增加,各种工程的修建,对暴雨产、汇流将产生一些较大的影响,但对这样强度的暴雨,可能产生的洪水及其对下游防洪造成的影响,仍然需要引起各方面的注意,特别是防汛工作人员的高度警惕。

二、1843 年 8 月中游洪水

1843 年 8 月(清道光二十三年七月),受西南东北向切变线影响,黄河中游河口镇至龙门区间,以黄甫川、窟野河、泾河支流马莲河、北洛河上游一带为中心,普降大暴雨,黄河干流潼关至小浪底河段出现了千年来的最高洪水位,陕县洪峰流量高达 36 000m^3/s,最大 12 天洪量约 119 亿 m^3,小浪底洪峰流量也达 32 500m^3/s,洪水席卷两岸,居民灾情严重,当地至今仍流传着"道光二十三,黄河涨上天,冲了太阳渡,捎带万锦滩"这首民谣。

根据有关历史文献记载,这场洪水过程是陡涨陡落型,洪水过程属尖瘦型。洪水调查资料表明,三门峡至小浪底之间的两侧支流,在相应时间内来水较小。关于洪水涨落的文献记载较多,如:"七月十四日上午,黄河暴涨……","七月十四日河暴涨数丈,水与庙檐平……","所幸水来虽猛,消落亦速……","水势旋即消落……"等。这场洪水很快就退了。

据史料记载,在这场洪水过程中,潼关以下的阌乡、陕州、新安、渑池、武陟、郑州、荥泽等处,洪水均漫溢出槽,沿河民房、庙宇、农田都被洪水冲损。小浪底以下进入平原河道,洪水下泄至中牟县后,将原有口门又冲开 360 余丈(约 1 000 余 m),洪水经此口门过贾鲁河、大沙河,夺淮河进入洪泽湖。河南、安徽两省受重灾的有 10 个县,次重或轻灾区的有 8 个县,洪水波及但没有成灾的有 9 个县,共计 27 个县,仅河南省被洪水淹没的村庄就有 12 120 个。开封以下因洪水大部分由中牟口门下泄,幸免了这场洪水之灾。

三、1933 年中游洪水

1933 年 8 月上旬,黄河陕县站发生了自 1919 年有水文记录以来最大的洪水。这次洪水的特点是:泾、渭、洛(北洛河)、汾及黄河干流(龙门以上)同时并涨,泾河张家山站最大洪峰流量为 9 200m³/s,最大 5 天洪量 14.06 亿 m³,最大 12 天洪量 15.7 亿 m³;渭河咸阳站最大洪峰流量 6 260m³/s,最大 5 天洪量 7.85 亿 m³,最大 12 天洪量 13.29 亿 m³;北洛河洑头站最大洪峰流量 2 810m³/s,最大 5 天洪量 2.84 亿 m³,最大 12 天洪量 3.64 亿 m³;汾河河津站最大洪峰流量 1 700m³/s,最大 5 天洪量 2.91 亿 m³,最大 12 天洪量 4.53 亿 m³;黄河龙门站最大洪峰流量 13 300m³/s,最大 5 天洪量 23.6 亿 m³,最大 12 天洪量 51.43 亿 m³。由于干支流洪水相互遭遇,使陕县站出现峰高量大的洪水过程,实测洪峰流量达 22 000m³/s,5 天最大洪量 51.8 亿 m³,12 天最大洪量 90.78 亿 m³。洪水输沙量大,最大 12 天沙量达 21.1 亿 t(陕县多年平均输沙量为 16 亿 t)。

造成这场洪水的暴雨,范围广、强度大,雨区位于黄河中游地区呈西南东北向分布,西自渭河上游,东至汾河及三川河,雨区面积是黄河中游有实测资料以来最大的。实测暴雨最大的是清涧河的清涧站,8 月 5~8 日,4 天降雨量为 255mm。暴雨中心位于渭河上游的散渡河、葫芦河、马莲河的东西川、大理河、延水、清涧河中游一带、三川河及汾河中游。这场大面积降雨发生在 8 月 5~10 日,有两次降雨过程,一是发生在 8 月 6~7 日凌晨,雨区基本上遍及整个黄河中游地区,7 日减弱后,呈斑状分布;二是在 8 月 9 日,降雨集中在渭河上游和泾河上游一带,10 日暴雨基本结束。

由于降雨为两个基本相连的暴雨过程,因此,本次洪水在泾河、渭河及黄河干流河口镇至龙门区间都是 2 次洪峰,陕县站 22 000m³/s 的洪峰为第一次降雨所形成,第二次洪水使陕县站峰后退水部分流量加大,过程加胖。

由于降雨强度大,历时长,暴雨区范围内洪水横流,房舍漂没,冲毁耕地无数,损失惨重。这场洪水峰高量大,下游左岸自封丘县的贯台决口,在大车集至石头庄 20km 间,几乎普遍漫溢,石头庄决口后,洪水沿长垣、濮阳、范县、寿张、阳谷等县横扫而下,现在的北金堤范围内全被洪水淹没,一片汪洋。右岸兰封小新堤、考城四明堂等相继决口,洪水所过之处,人畜漂没,房屋、田地俱被泥沙淤埋,河湖淤塞,原有的水系被打乱,洪水灾害及其所造成的深远影响,都十分巨大。

这场洪水在黄河下游共决口达 50 余处,绥远、陕西、河南、河北、山东、江苏等省,因暴雨或洪水受灾面积超过8 600km²,受灾总人口达364万,伤亡人数18 300人,有9 200个村庄洪水进村,毁坏房屋169万间,淹没耕地85万公顷,死亡牲畜64万头。

第二节　新中国成立以后的干流主要洪水

一、1958年洪水

1958年7月17日24时,黄河花园口站发生了22 300m³/s的特大洪水(亦称"58.7"暴雨洪水),这场洪水为新中国成立以来黄河下游最大的洪水。

当年黄河水情的特点为:降雨量大,雨量充沛,汛期洪水量达454亿m³,约占全年总水量610亿m³的74.4%。洪水主要来源于三门峡以下干支流地区。

1958年进入汛期以后,黄河流域即连续降雨,7月7日以前,山、陕区间和渭河下游普遍降雨50～60mm,伊、洛、沁河流域降雨70～100mm,花园口站先后出现多次洪峰。7月14～18日,山、陕区间和三门峡至花园口干支流区间又连降暴雨,其中三花区间降大暴雨,暴雨中心垣曲5天累计降雨量达498.6mm,24小时雨量为366.5mm。这场暴雨笼罩面积广、强度大、时间集中,其中7月16日20时～17日8时的降雨,是造成花园口站出现22 300m³/s洪水最关键的一场暴雨。

由于各地不断降雨,使黄河下游一峰接着一峰,接连出现洪峰,7、8两月共出现大于5 000m³/s的洪峰13次,10 000m³/s的洪峰5次。花园口站7月15日12时起涨,7月17日24时出现最大洪峰流量,峰顶持续2.5小时,22日18时落平,历时7天,是黄河花园口站有水文观测以来实测的最大洪水。洪水19日到达高村,洪峰流量17 900m³/s;洪峰20日达到孙口,最大流量15 900m³/s;22日达到艾山,洪峰流量12 600m³/s;23日达到泺口,洪峰流量为11 900m³/s;25日达到利津,洪峰流量为10 400m³/s。

这场洪水由三门峡以下干支流地区普降暴雨、干支流洪水基本上同时遭遇形成的。洪峰具有水位高、水量大、来势猛、含沙量小、持续时间长的特点。花园口站10 000m³/s以上洪水的流量持续时间为81小时,7日洪量61亿m³,12日洪量87.0亿m³。从来水组成来看,三门峡洪峰流量8 890m³/s,7日洪量33.0亿m³,12日洪量52.0亿m³,分别占54%和59%;小浪底洪峰流量17 000m³/s,12日洪量56亿m³。支流伊洛河黑石关站洪峰流量9 450m³/s,

12 日洪量 22 亿 m^3；沁河小董站洪峰流量 1 050m^3/s，12 日洪量 3.3 亿 m^3。

洪峰到达兰考东坝头以下，普遍漫滩，堤根水深 4～6m，约有 400km 堤段洪水位超过保证水位。其中，高村超过 0.38m，孙口站超过 0.78m，艾山超过 0.93m，泺口站超过 1.09m，各地超过保证水位的历时分别为 35～80 小时，山东省齐河豆腐窝以下险工坝岸几乎与洪水持平，有 130 多道坝岸水漫坝顶，东阿、济南也有部分坝岸漫水。东平湖由数个山口自然进水滞洪，最大进湖流量 10 300m^3/s，最高湖水位 44.81m，蓄洪量 9.5 亿 m^3，超出保证水位 1.13m，超蓄水量 2.5 亿 m^3，超过保证水位历时 80 小时，湖区有 44km 多湖堤洪水漫顶 0.1～0.4m。黄河堤防和东平湖围堤都出现了十分险恶的局面。

黄河防总及时分析了雨情、水情和工情变化情况，经过认真研究，认为花园口出现洪峰后，三花区间暴雨已经减弱，主要来水区不会再产生大的洪水，后续水量不大，此次洪峰具有洪峰比较高、峰型比较瘦，总来水量不是十分大的特点，且汶河来水量不大，艾山以下支流加水不多，因此，征得河南、山东两省的同意，报请国务院批准，决定采取"依靠群众，固守大堤，不分洪，不滞洪，坚决战胜洪水"的方针。

中央防汛总指挥部接到黄河防总的报告后，立即发出了"必须密切注意雨情、水情的发展。以最高的警惕，最大的决心，坚决保卫人民的生产成果，坚决制止洪涝为患"的指示，周恩来总理在上海立即停止开会，乘专机飞临郑州，亲自指挥黄河抗洪抢险斗争。在党中央、国务院的直接领导下，河南、山东两省进行了党政军民总动员，组织 200 万人上堤防守抢险。

在此之前，河南省人民委员会召开紧急会议进行了部署。省委、省人委发出了"关于紧急动员起来，战胜特大洪水的紧急指示"，号召动员一切人力、物力，坚决搞好防汛工作，保证战胜特大洪水。沿河各地、市、县委书记都亲自上堤，领导干部分堤段包干负责，大批干部深入各防守责任段，与群众一起巡堤查水，抗洪抢险，并迅速组织滩区群众迁离，后方组织了大批防汛物资，支援抢险和群众安置工作。全省共投入堤防防守和滩区群众迁移安置的各级干部 5 000 多人，人民解放军各兵种部队 4 000 多人，群众防守队伍 30 多万人，加上后方支援的二线预备队共达百万人，船只 500 艘，汽车 500 多辆。东坝头以上大堤部分靠水，东坝头以下全部偎堤，形势十分危急，沿黄广大军民斗志昂扬，提出"人在堤在，水涨堤高"的战斗口号，每公里上堤防守队伍 300～500 人，同时又组织了机动抢险队，乘车沿堤巡逻，发现险情，立即组织抢护。河南堤防共出现渗水、蛰陷、脱坡、裂缝等险情 130 多处，险工出险 12 处、71 坝次，经过抢护，均未造成大的损失。

河南黄河滩区居住着 13 个市、县的 1 001 个村庄,49 万多人,有耕地 12.3 万多 hm²,此次洪水淹没涉及 527 个村庄、24 万人,经过抢救,绝大部分群众安全迁出,仅死亡 4 人,倒塌房屋 15 万间,冲走粮食 30 余万 kg,淹地 8 万 hm²。

花园口站洪峰过后,山东省也进行了迅速部署,省委、省人委决定"沿黄各地、县、乡党委、政府必须全党全民动员,集中一切力量与洪水搏斗,在不分洪的情况下,坚决保证沿河人民安全与农业大丰收"。洪峰进入山东后,沿黄共动员干部、群众和解放军 110 万人上堤防守。由于山东河道较窄,洪峰水位表现高,堤根水深 2~4m,个别堤段达 5~6m,东阿、济南部分堤段仅高出水面 1m 多,东平湖湖堤在 5 级风浪的袭击下,波浪越堤而过,十分危急。东阿以下临黄大堤和东平湖湖堤采取了加高子埝的措施,在广大军民的努力下,一昼夜间加修子埝 600 多 km,有效地防止了洪水漫堤。在最紧张的安山湖堤段,干部群众站在堤顶,筑成人墙,抵挡风浪的袭击,经过 19 小时的奋力拼搏,终于转危为安。山东共出现各种险情 1 290 多次,其中大堤漏洞 18 处,管涌 109 个,陷坑 228 个,大堤脱坡 32 处,埽坝坍塌蛰陷 308 段次,根石走失严重的 175 段次,掉塘子 56 段次,经过抢护全都脱险。

这次洪水,下游共淹没滩区耕地 20.32 万 hm²,受淹村庄 1 708 个,倒塌房屋 29 万间,受灾人口 74.08 万人。洪水过程中,共抢护险工坝岸 1 998 坝次,堤防渗水 59 961m,塌坡 23 879m,裂缝 1 392m,管涌 4 312 个。

对于这场洪水,党中央、国务院和全国各地都给予了巨大的关怀和帮助。人民解放军出动了陆、海、空、炮兵、通信、工兵等部队,调来了飞机、橡皮船和大量救生工具,投入抢险和滩区群众迁安救护。全国各地运来麻袋、蒲包、草包 200 多万条。辽宁、江苏、广州、上海、天津、青岛等城市赶运来了大批防汛物资。在全国人民的大力支持下,经过豫、鲁两省军民和广大治黄职工的共同努力,顽强拼搏,终于战胜了这场特大洪水,赢得了最后胜利。

1958 年洪水主要来源于三门峡至花园口区间,降雨的时空分布有利于形成峰高量大的洪水。洪水预见期短,防汛准备时间不足,调度难度大。这类洪水的含沙量大,水流冲击力强,河道控导工程和险工易出现险情,抢险任务繁重。该场洪水,是对黄河下游防洪威胁较大的一种洪水类型,必须引起高度注意。

二、1981 年黄河上游洪水

1981 年 9 月 13 日,黄河上游发生了一次特大洪水(简称"81.9"洪水),洪峰流量之高,洪水总量之大,洪水历时之长,均超过历史记录。龙羊峡入库站唐乃亥最大洪峰流量 5 450m³/s,是有记录以来最大的一场洪水。各梯级水库、兰州市区、宁夏、内蒙古两岸和包头至兰州铁路等,都不同程度地遭受到这次洪水的威胁。

唐乃亥站至河源河道长 1 552km,流域面积 12.2km²,河道平均比降 1.37‰。流域地势西高东低,黄河迂回曲折,河道呈大"S"型转弯。自 1981 年 8 月 13 日开始,在西北地区东部的陕、甘、川 3 省交界处发生暴雨,与此同时,黄河上游自 8 月 13~29 日连续降雨 17 天,降雨强度一般为 50~100mm,局部地区达 150~200mm。这一时段的降雨,由于前期干旱,大多下渗,增加了土壤含水量,河道底水也有所抬高。8 月 30 日~9 月 13 日,上游又连续降雨 15 天,这次降雨范围较大,雨量达 100~150mm。由于前期土壤含水量已经基本饱和,所以,后一降雨对形成唐乃亥站的洪峰的形成起到了主要作用。

8 月 13 日~9 月 13 日,黄河唐乃亥水文站以上降雨量为 300mm 的笼罩面积约 0.5 万 km²,250mm 降雨量的笼罩面积约 2.4 万 km²,200mm 降雨量的笼罩面积为 7.34 万 km²,150mm 降雨量的笼罩面积为 11.04 万 km²。暴雨的特点为范围广、历时长、强度小、日程分配均匀和降雨总量较大。

1981 年的洪水,受龙羊峡施工围堰调蓄影响,使其下游贵德站洪峰流量削减约 500m³/s,峰现时间推迟 5 天。贵德以下又受刘家峡水库调蓄,出库流量再次削减约 1 000m³/s,拦蓄最大 15 天水量近 15 亿 m³。兰州 9 月 15 日洪峰流量 5 600m³/s,安宁渡站 9 月 15 日洪峰流量 5 630m³/s。下河沿以下由于宁蒙灌区引水,以及河道蒸发渗漏等损失,水量呈减少趋势。下河沿 9 月 16 日洪峰流量为 5 780m³/s,石嘴山 9 月 20 日洪峰流量 5 660m³/s,三湖河口站 9 月 22 日洪峰流量 5 500m³/s,昭君坟站 9 月 25 日洪峰流量 5 450m³/s,头道拐(河口镇)9 月 26 日洪峰流量 5 150m³/s。

洪水期间,正值龙羊峡水库施工,临时围堰按 20 年一遇洪水设计,50 年一遇洪水校核,堰顶高程 2 497m,库容 11.2 亿 m³,洪水全靠临时围堰拦洪。由于导流洞泄流能力的限制,当入库流量超过 2 000m³/s 时,水库即自然滞洪,水位不断壅高,为了确保施工安全,将围堰突击加高 4m,增加库容 3 亿 m³,9 月 18 日 22 时库水位达到 2 494.78m 最高值,相应蓄量 9.75 亿 m³。为了确保兰州市的安全,又将刘家峡大坝加高 2.3m,加高副坝 3.6m。

青海省全省受灾 7 个县、4.8 万人,淹没和冲毁电灌站 100 多座,毁坏房屋 7 200 多间,冲毁堤防 17km,公路 200km。甘肃全省受灾 8 县 2 市,达 20 万人,淹没农田约 0.7 万 hm²,毁坏房屋 4 000 多间,冲毁堤防 34km,水利设施 200 多处。其中,兰州市受灾 11.3 万人,淹地 0.27 万 hm^2,倒塌房屋 3 600 间,毁坏堤防 4.1km,9 个企业短期停产。宁夏在洪水期间转移受灾人口 4 万多人,受灾农田 0.6 万 hm^2,倒塌房屋 4 500 余间。内蒙古受灾涉及村庄 25 个、2 231 户、1.2 万人,倒塌房屋 3 800 间,淹没农田 1.26 万 hm^2,损失粮食超过 1 000 万 kg、牲畜 5.66 万头,堤防决口 5 处。

三、1982 年下游洪水

1982 年 8 月 2 日,黄河下游花园口站出现洪峰流量 15 300 m^3/s 的洪水,是新中国成立以来仅次于 1958 年洪水的次大洪水。沁河小董站洪峰流量 4 130 m^3/s,超过沁河防洪设计标准。

这场洪水主要来自三门峡至花园口区间。7 月 29 日到 8 月 2 日,三门峡至花园口干支流区间 4 万多 km^2 普降暴雨和大暴雨,局部地区降特大暴雨。5 日累计雨量:伊河陆浑站 782mm,为 1937 年有实测记载以来的最高记录;洛河赵堡站 645mm;沁河山路平站 452mm;干流仓头站 423mm。其中,伊河陆浑站日最大降雨量高达 544mm。

三门峡至花园口干支流伊、洛、沁河相继涨水。伊河经陆浑水库滞蓄之后,龙门镇站洪峰流量 2 820 m^3/s;洛河白马寺站洪峰流量 6 250 m^3/s。伊洛河下游汇合处的"夹滩"滞洪区,由于近年来河床淤高,滩面植树造林、农业种植,加之黑石关水文站附近铁路桥和提水站的修建,增大了"夹滩"的滞洪作用,"夹滩"和两岸洪泛区进水后,淹没面积达 260 多 km^2,滞蓄水量约 4.6 亿 m^3,这是 1949 年以来所没有过的。经"夹滩"滞蓄过后,黑石关洪峰流量削减为 4 110 m^3/s。沁河小董站洪峰流量 4 130 m^3/s。三门峡下泄流量 4 840 m^3/s,小浪底站洪峰流量 9 340 m^3/s。各支流洪水与干流汇合后,形成了花园口站 15 300 m^3/s 的洪峰,7 日洪量 50.02 亿 m^3。其中,三门峡以上来水 19 亿 m^3,占 37.8%;三花间来水 31.2 亿 m^3,占 62.2%。花园口站 10 000 m^3/s 以上洪水持续 52 小时,平均含沙量 32.1kg/m^3。

花园口站自 7 月 3 日 22 时起涨,至 9 日落平,历时约 9 天。洪水过程又由 2 个洪峰组成,第一个洪峰出现在 7 月 31 日 10 时,流量仅 6 350 m^3/s,第二个洪峰出现在 8 月 2 日 19~22 时,洪峰流量 15 300 m^3/s,峰顶持续时间 3 小时,大于 15 000 m^3/s 的流量持续 12 小时。洪峰在向下游演进的过程中,生产堤多处溃口或人工破堤,口门总宽约 46km,滩区大量进水,滞蓄洪量约 35 亿 m^3,洪峰沿程减小。沿途各水文站的洪峰流量为:夹河滩站 8 月 3 日 4 时洪峰流量为 14 500 m^3/s;高村站 8 月 5 日 2 时洪峰流量为 13 000 m^3/s;孙口站 8 月

7 日 2 时洪峰流量 10 100m³/s;经东平湖水库分洪后,艾山站 8 月 7 日 3 时洪峰流量为 7 430m³/s;泺口站 8 月 8 日 22 时洪峰流量为 6 010m³/s;利津站 8 月 9 日 23 时洪峰流量为 5 810m³/s。

花园口站出现洪峰的同时,沁河小董站也发生了 4 130m³/s 的超标准洪水,为有实测资料以来的最大洪水。8 月 2 日 10 时,当沁河上游五龙口站出现 4 240m³/s 的洪峰后,黄河防汛总指挥部根据上游来水、降雨等情况综合分析,考虑沁河洪水经沁北滞洪区滞蓄、支流丹河加水后,沁河南岸五车口一带堤防可能发生漫溢等情况,下达了为确保沁河防洪安全,必须在确保北堤安全的前提下,在南岸堤防高度不足的堤段紧急加修子埝,加强防守指令。河南省防指和新乡防指立即组织 3 万军民上堤,冒雨奋战 10 多个小时,筑成一条长 21km 的子埝。抢护堤防险情 25 处。洪峰到达时,五车口一带 13 000m 长的堤线水位超过原堤顶 0.1～0.21m,由于及时加修了子埝,洪水没有漫溢。

这场洪水是新中国成立以来仅次于 1958 年的大洪水。与 1958 年花园口站 22 300m³/s 相比,花园口至孙口河段流量沿程小了 6 000～7 000m³/s,但由于河道淤积抬高,水位却高于 1958 年 1m 左右,其中开封柳园口高 2.09m,长垣马寨至范县邢庙河段水位高 1.5～2.02m。下游滩区除原阳、中牟、开封 3 处部分高滩外,其余全部被淹,滩面水深一般 1m 多,深的达 4～6m。共淹没滩区村庄 1 303 个,耕地 14.5 万 hm²,倒塌房屋 40.08 万间,受灾人口 93.27 万。滩区水利和其他生产设施大部分被毁,受淹耕地基本绝收,损失严重。

这场洪水,黄河大堤偎水 887km,其中河南堤段 310km、山东堤段 577km;沁河堤偎水 150km;东平湖水库二级湖堤偎水 26.7km。临黄堤堤根水深一般 2～4m,深处达 5～6m,堤防发生渗水 17 处,长 3 900m;管涌 9 处,共 40 个;裂缝 30 处,长约 700m;陷坑 27 个;有 151 处险工、控导工程,850 坝段,出险 1 136 坝次。

为了确保山东窄河段堤防和津浦铁路济南老铁桥的安全,国务院领导与河南、山东两省负责人确定,孙口站洪水流量超过 8 500m³/s 运用东平湖老湖分洪,控制泺口站洪峰不超过 8 000m³/s。为做好东平湖老湖分洪准备工作,山东省提前 2 天将分洪区 29 000 名群众迁往安全地区,组织了 39 000 多人防守二级湖堤。8 月 6 日 22 时,当孙口站洪水流量超过 8 000m³/s 时,首先开启了林辛闸,7 日 11 时又开启了十里堡闸分洪,到 9 日 21 时至 23 时先后关闭两闸,防洪历时分别为 71 小时和 60 小时,两闸最大分洪流量 2 400m³/s(林辛闸 1 070m³/s,十里堡闸 1 330m³/s),分洪水量近 4 亿 m³,最高湖水位 42.11m。分洪后将孙口站洪峰流量由 10 100m³/s,削减到 7 430m³/s,削减率达 26.4%,大大地减轻了艾山以下河道的防洪压力。分洪后进湖沙量约 500 万 m³,闸后 2km² 范围内一般淤厚 0.5～1m,最大淤积厚度林辛闸后为 2m,十里堡闸后为 1.5m,绝大部分淤积物为粗沙或粉沙,短期内难以耕种的土地达 1 425hm²。

四、1996 年 8 月洪水

1996 年 8 月 5 日、13 日,黄河下游花园口站出现了洪峰流量为 7 860m³/s 和 5 560m³/s 两次洪水(简称"96.8"洪水)。这场洪水虽然洪水量级不大,只属于中常洪水,但由于在下游河道中洪水水位表现高,演进速度慢,洪峰变形异常,不少河段水位超过历史最高记录,多处控导工程漫顶,堤防工程大量出险,滩区大部被淹,受灾人口多,141 年未曾上水的河南原阳高滩亦发生漫滩,下游抗洪抢险出现了十分紧张的局面,因此引起了各方面的关注。

(一)降雨

7 月底到 8 月上旬,黄河干流晋陕区间和三花区间及泾、渭河下游分别出现 3 场强降雨过程,其中第一场主要在晋陕区间的降雨和第二场主要在三花区间的降雨,形成了"96.8"洪水花园口的第一号洪峰;第三场晋陕区间和渭河下游的降雨形成了"96.8"洪水花园口的第二号洪峰。

7 月 31 日～8 月 1 日,晋陕区间大部分地区降中到大雨,局部降暴雨。暴雨区主要分布在黄河干流及西部各支流的中下游,其中,窟野河王道恒塔日降雨量为 88mm,温家川和龙门日降雨量均为 72mm,无定河丁家沟和延水延安日降雨量分别为 58mm 和 57mm。这场降雨,使该区间主要支流相继产流,窟野河温家川站 8 月 1 日 6.3 时洪峰流量 2 180m³/s;秃尾河高家川站 1 日 5.6 时洪峰流量 1 050m³/s,最大含沙量 990kg/m³;1 日 16 时,吴堡站出现 3 190 m³/s 的洪峰流量;吴堡—龙门区间几条支流也相继加水,龙门站 1 日 16.8 时和 2 日 6.6 时先后出现 2 次洪峰,洪峰流量分别为 4 580m³/s 和 3 620m³/s,1 日 20 时出现最大含沙量 468kg/m³;潼关站 3 日 1 时洪峰流量 4 230m³/s,最大含沙量 280kg/m³。3 日 8 时,三门峡水库最大泄量 4 130m³/s,8 时最大含沙量 328kg/m³,成为花园口一号洪峰的三门峡以上来水。

8 月 2～4 日,三花区间普降中到大雨,部分地区降大到暴雨,主雨区在伊洛河中游,沁河中下游和小浪底至花园口干流区间。三花间 3 天平均降雨 97mm,其中,洛河 102mm,沁河 79mm,三花干流 99mm,大于 50mm 等值线的面积笼罩三花区间及临近地区近 5.7 万 km²。3 天降雨量:洛河黑石关站为 246mm,宜阳站为 234mm,鸦岭站为 155mm,沁河润城站为 100mm,武陟站为

128mm,蟒河孟良站为 138mm。

三花区间由于前期土壤湿润,本次降雨有利于产流,伊洛河出现了 1984 年以来的最大洪水,洛河宜阳站 8 月 3 日 19.5 时洪峰流量为 2 150m³/s,白马寺站 3 日 20 时洪峰流量为 1 980m³/s,伊河龙门镇站 3 日 14 时洪峰流量为 991m³/s,黑石关站 4 日 9 时洪峰流量为 1 980m³/s。沁河武陟站 5 日 18 时洪峰流量为 1 500m³/s。黑石关站为 1 000m³/s 以上流量的持续时间为 39 小时;武陟站 1 000m³/s 以上流量的历时为 47 小时。

三门峡 3 日 8 时的洪峰首先和三小区间产流相遇,小浪底站 4 日 0 时出现 5 020m³/s 的洪峰流量,之后又与洛河黑石关站、沁河武陟站的洪峰相汇合,形成了 5 日 15.5 时花园口站一号洪峰,洪峰流量 7 860m³/s,相应水位 94.73m,为有实测资料以来的最高水位。

8 月 8~9 日,晋陕区间大部降中到大雨,局部降暴雨,雨区主要分布在黄河干流及两岸各支流的下游地区。1 日降雨量,黄甫川沙圪堵为 69mm,黄甫为 66mm,清涧河子长为 57mm,屈产河石楼为 59mm。泾、渭河下游也降了中到大雨。本次降雨形成黄甫川站 9 日 11.1 时洪峰流量为 5 110m³/s,最大含沙量 1 190kg/m³;窟野河温家川站 9 日 16.4 时洪峰流量 10 000m³/s,最大含沙量 1 090kg/m³。干流吴堡站 9 日 23.4 时洪峰流量 9 700m³/s。吴堡—龙门区间的几条支流也相继加水,龙门站 10 日 13 时洪峰流量 11 100m³/s,最大含沙量 390kg/m³,潼关站 11 日 6 时洪峰流量为 7 400m³/s。11 日 18.5 时,三门峡最大出库流量为 5 100m³/s,最大含沙量 355kg/m³。三花区间伊洛、沁河此时仍为一次洪水的退水过程,加水较少,13 日 3.5 时花园口站出现 5 560m³/s 的二号洪峰。

(二)洪水

"96.8"洪水花园口站表现为 2 次洪峰,由于一号洪峰传播异常缓慢,二号洪峰在孙口站附近追上一号洪峰,2 次洪峰合并为 1 个洪峰,形成 1 个矮胖的洪水过程,于 20 日 22.8 时过利津站入海。

"96.8"洪水花园口站 18 天洪水总量为 53.49 亿 m³,输沙量为 4.0t,平均含沙量为 75.0kg/m³。洪水由三门峡以上来水和三花间来水组成,其中:三门峡以上来水 35.73 亿 m³,占花园口站总水量的 66.8%;三花区间来水 17.76 亿 m³,占花园口站总水量的 33.2%。三门峡以上来水主要来自河口镇—龙门区间,龙门站来水量 23.84 亿 m³,占三门峡来水量的 66.8%,渭河华县站来水量 6.79 亿 m³,占三门峡总水量的 19.0%。三花区间来水量中,伊洛河来水量 6.97 亿 m³,占 39.2%;沁河来水量 6.41 亿 m³,占 36.1%;三花区间干流来水量 4.38 亿 m³,占 24.7%。花园口站沙量绝大部分来自三门峡以上,三门峡 18 天输沙量 4.91 亿 t。其中,龙门站 3.25 亿 t,华县站 1.48 亿 t。

"96.8"洪水在下游河道中的演进过程十分复杂,具有洪水水位表现高、漫滩范围广、洪峰传播时间长及洪峰变形等特点。

1. 水位表现高

"96.8"洪水在夹河滩以上河段全线超过历史最高水位,夹河滩以下 52% 的河段超过历史最高水位,41% 河段达历史第二高水位。花园口站最高水位 94.73m,比 1982 年 8 月 15 300m³/s 洪水的水位高 0.74m,比原历史最高水位 ("92.8"洪水)高出 0.4m。夹河滩最高水位 76.44m(老断面),比 1982 年洪水水位高 0.82m,比原历史最高水位("92.8"洪水)高出 0.79m。

黄河下游各水文站从有实测资料以来,出现较高水位的有 1958 年、1973 年、1976 年、1982 年和 1992 年,而"96.8"洪水除高村、艾山、利津站水位略低于历史最高水位外,其余各站均出现历史最高值。各站水位比较,见表 8-1。

表 8-1 　　　　　　　　黄河下游主要水文站洪水水位比较

站名	1958 年		1976 年		1982 年		1992 年		1996 年		$H_{96.8} \sim H_{max}$	
	流量	水位	流量	水位	流量	水位	流量	水位	流量	水位	差值	H_{max}
	(m³/s)	(m)	(m³/s)	(m)	(m³/s)	(m)	(m³/s)	(m)	(m³/s)	(m)	(m)	年份
花园口	22 300	93.82	9 210	93.42	15 300	93.99	6 410	94.33	7 860	94.73	0.40	1992
夹河滩	20 500	74.31	9 010	75.65	14 500	75.62	4 510	74.88	7 150	76.44 *	0.79	1976
高　村	17 900	62.87	9 060	62.86	13 000	64.13	4 100	63.12	6 810	63.87	-0.26	1982
孙　口	15 900	49.28	9 100	49.19	10 100	49.60	3 480	48.24	5 800	49.66	0.06	1982
艾　山	12 600	43.13	9 100	42.64	7 430	42.70	3 310	41.10	5 030	42.75	-0.35	1958
泺　口	11 900	32.09	8 000	32.14	6 010	31.69	3 150	30.45	4 700	32.24	0.10	1976
利　津	10 400	13.76	8 020	14.71	5 810	13.98	3 080	13.48	4 130	14.70	-0.01	1976

注　* 夹河滩老断面水位。

2. 洪峰沿程变形剧烈,双峰合成单峰

"96.8"洪水花园口站洪峰流量为 7 860m³/s,到利津站仅 4 100m³/s,洪峰削减了 47.8%,但洪峰削减程度沿程变化不一。从花园口到夹河滩、高村、孙口、艾山、泺口、利津各站,洪峰依次削减:8.8%、5.0%、16.6%、10.9%、5.5% 和 14.2%。

"96.8"洪水在花园口河段表现为 2 个独立的洪峰,2 个洪峰大小、来源均不相同,峰顶时间间距 181 小时。夹河滩站 2 峰之间流量增大,时间间距没有缩短;高村水文站 2 次洪峰峰现时间缩短为 112 小时,两峰间谷底流量由

3 000m³/s增大到 4 100m³/s。洪峰演进到孙口站已明显变成 1 个洪峰,花园口站二号洪峰变成了一号洪峰的后峰腰,再向下游洪峰更加坦化,上涨过程更加平缓。

3.洪峰传播时间增长

"96.8"洪水一号洪峰从花园口到孙口传播历时 224.5 小时,是同流量级洪水传播时间的 4.7 倍,比历史最长传播时间的 141 小时(1976 年)还要长83.5 小时。其中,花园口洪峰到夹河滩的历时为 30 小时(老断面),夹河滩到高村为 73.5 小时,高村到孙口为 121 小时。它们分别比历史上最长的传播时间还要长 1 小时(1994 年)、7.5 小时(1976 年)、63 小时(1981 年)。二号洪峰从花园口传播到孙口的历时为 44.5 小时,接近平均传播时间,2 峰合并后,孙口到利津的传播时间为 142.8 小时,是正常传播时间的 3 倍,比历史上传播时间最长的 136 小时(1975 年),还要长 6.8 小时。各站洪水传播时间对比,见表 8 - 2。

表 8 - 2　　　　　　　　　黄河下游各水文站洪水传播时间对比

区　　间	花园口 — 夹河滩	夹河滩 — 高　村	高　村 — 孙　口	孙　口 — 艾　山	艾　山 — 泺　口	泺　口 — 利　津	花园口 — 利　津
断面间距(km)	105	83	130	63	108	174	663
历次同流量平均传播时间(h)	14	14	20	12	16	20	96
历次洪水最长传播时间(h)[1]	26	28	36	12	78	46	226
"96.8"洪水传播时间(h)	30	73.5[2]	121	52.5	25.3	65.0	367.3
历次同流量传播速度(m/s)	2.08	1.65	1.80	1.46	1.88	2.42	1.29
历次洪水最慢传播速度(m/s)	1.12	0.82	1.00	1.46	0.38	1.05	0.81
"96.8"洪水传播速度(m/s)	0.97	0.31	0.31	0.33	1.19	0.74	0.50

注　(1)指 1975 年洪水;(2)夹河滩为老断面。

洪峰传播时间增长有 2 个方面的原因:一是黄河下游河槽萎缩,平滩流量降低,滩区滞纳和释放洪水量比较大,导致洪峰变形严重,峰现时间滞后;二是主槽淤积严重,致使全断面流速降低,洪水传播时间延长。

(三)工程险情

与历年较大洪水相比,工程险情的主要特点为:坝垛出险多;控导工程险情多、漫顶多;险工坝垛护岸险情以根石走失为主;单坝出险次数河南多于山东、高村—陶城铺河段多于其他河段。

1.堤防工程

"96.8"洪水期间,下游堤防偎水长度达 951.2km,占下游堤防总长度的

70%,堤根水深一般2～4m,最大5.7m。堤防工程共出现各类险情100处,主要有渗水29处,长40.4km;管涌8处;风浪淘刷10处,长80km;陷坑3处;裂缝33处。没有出现漏洞、塌坡等险情。较大险情有:封丘荆隆宫渗水、梁山县黄花寺—月庄大堤渗水管涌、滨州市贾家—孙楼堤段渗水裂缝、济南市槐荫区睦里管涌、东明县李庄大堤风浪淘刷。

下游有涵闸、虹吸100多处,洪水期间有15处出险,多为闸门止水老化,出现漏水。最大险情为封丘红旗闸,由于中孔闸门锈蚀严重,闸室也因不均匀沉陷而蛰裂,失去抗洪能力,因此随着水位的上涨,漏水十分严重,为确保防洪安全,于8月5日进行了围堵处理。

2.河道整治工程

黄河下游河道整治工程在洪水过程中共有331处、2 960道坝(垛)出险5 279坝次。险工以根石走失为主,个别坝垛出现根石台入水、坦石蛰陷等险情。控导护滩工程96处、1 223道坝垛漫顶,占坝垛总数的32.5%,平均漫顶水深约0.5m,最大1.5m。下游抢险加固用石料65.82万 m³,软料1 578万kg,铅丝570t,投入机械台班7.92万个,用工219.8万个,为历年抢险耗费投资料物最多的一年。较大险情有武陟老田庵控导工程23号坝、范县韩胡同控导工程、陶城铺险工、滨州小街控导工程等。

(四)灾情

1.黄河下游

"96.8"洪水造成下游温孟滩区、原阳幸福渠以南、中牟、开封的大部分高滩及夹河滩以下滩区大部分上水漫滩,水深一般0.5～3.5m,最大5.7m。漫滩面积和漫滩水深均为历史罕见,灾情是新中国成立以来最严重的一次。

豫鲁两省滩区淹没面积共22.87万 hm²,共有40个县(市)、1 345个村庄、107万人受灾,倒塌房屋22.65万间,损坏房屋40.96万间。按1996年当年价格计算,洪水灾害总直接经济损失近40亿元。

造成下游滩区严重洪灾和巨大经济损失的主要原因有以下几点:一是河道淤积严重,排洪能力降低,漫滩流量减小,洪水水位表现高,漫滩范围大;二是近几年下游河道"槽高、滩低、堤根洼"的不利局面日趋严重,滩区退水困难,漫滩水滞蓄时间长;三是滩区安全建设标准低,数量少,群众抗御洪水灾害的能力差;四是河道控导护滩工程水毁严重;五是部分干部群众麻痹思想严重,等待观望,存在严重的侥幸心理,贻误了转移撤退时间,部分财产来不及转移,增加了经济损失;六是盲目固守生产堤,未能充分利用洪水到来前的有限时间迅速转移财物,生产堤开口后,淹没面积迅速扩大,大量的财物被洪水冲走或浸泡,造成不应有的损失。

2. 龙门至潼关河段

龙门站 8 月 10 日 13 时出现 11 100m³/s 洪峰,11 日 7 时通过潼关,洪峰流量为 7 400m³/s,历时 18 小时,较往常 13 个小时左右延长 4～5 小时;削峰比为 33%,较平均情况略大。

"96.8"洪水过程中,山西省滩区受淹耕地 1.76 万 hm²,倒塌房屋 100 间,冲毁鱼塘超过 13hm²,毁坏机井 25 眼,果树 120 多 hm²,冲毁桥梁 4 座。陕西省受淹耕地 0.62 万 hm²,受淹村庄 14 个,受灾人口 1.83 万,迁安人口 1.5 万,7 处工程出险 71 坝次。

3. 潼关至三门峡河段

潼关至三门峡河段,河势上提下挫、左右摆动较大,主流顶冲库岸,造成大量的塌滩、塌岸,冲毁防汛道路、管理设施,塌岸长度 2.38km,塌岸面积 75hm²。其中,淹没农田 60.33hm²,果园 1.46hm²。造成滩地坍塌 237.6hm²。盘西、东古驿、古贤、礼教等多处工程出险,长度达 1.39km,淹没耕地 0.142 万 hm²。

4. 渭河下游

1996 年渭河华县站年来水量 37.7 亿 m³,沙量 4.19 亿 t,分别占多年平均值的 46% 和 105%,含沙量是多年均值的 2 倍多,属枯水平沙年。

渭河洪水具有水位高、漫滩范围广、洪峰传播时间长等特点。由于河道前期淤积严重,洪水在传播过程中水位均出现最高值,临潼水文站最高水位 357.79m,比 1992 年 8 月最高洪水位高 0.41m,与 1988 年 8 月洪水洪峰流量水位相比,同流量水位上升 1.02m;华县站与 1992 年 8 月洪水同流量 3 450m³/s 水位比较,4 年上升了 1.43m。平滩流量减小,使本次洪水滩地过流比例增大。与主槽流速相比,滩地流速较小,致使洪峰传播速度减缓,洪水传播时间增长。临潼到华县站洪水传播历时 19.5 小时,华县站到吊桥 25 小时,均超过 1973 年、1981 年、1992 年大洪水。

由于水位高、历时长,渭河下游大堤全面临水,水深一般 2.0m,局部 3.0m。南山支流普遍倒灌,水深 2～2.5m,长 2～11km。7 月 29 日 23 时左右,方山河堤防 2 处决口,口门宽 7.0m,漏洞 7 处,最大洞径达 4.0m,洪水漫溢长 50m。8 月 3 日各支流洪水又暴涨,堤防工程频频出险。罗纹河左堤 2 次决口,口门宽分别为 30m 和 70m;右堤临河侧滑塌严重;罗夫河上段铁路桥处发生漫溢;柳叶河左堤决口 30m,淹没耕地 733hm²;长涧河洪水漫溢出槽,310 国道黄浦峪桥被冲垮,公路交通中断。"96.8"洪水期间,共损坏房屋 1.04

万间,倒塌房屋 0.41 万间。

第三节　冰凌洪水

一、1948 年下游凌汛

1948 年 2 月河口地区气温较低,已开河段因冰水受阻,水位上涨较快,9 日滨县张肖堂以下凌洪漫滩,水深 2.0m 左右。由于时间紧急,利津、垦利部分滩区居民没有来得及迁出,共有 70 多个村庄被淹,房倒屋塌,牲畜、粮食、柴草、被服、生产生活用具等被凌水冲走或浸泡,遭受严重损失。垦利县四段村新修的民埝高度较低,质量较差,形成决口,汪二河、付家窝 2 个村庄被水包围。鱼洼至赵家屋子 10km 堤段,先后出现 10 多个漏洞,最大直径 0.7～0.8m,河滨区干部、黄河职工及当地群众立即组织抢护,参加抢险的广大干部职工,不畏严寒,多次下水用被子堵塞漏洞,经过 3 昼夜的紧张奋战,终于转危为安。利津宋家庄大堤遗留有日伪时期的碉堡,拆除后回填不实,堤防于深夜出现漏洞 3 处,查险人员发现后,立即鸣锣呐喊,当地政府及河务部门负责人立即带领抢险队员和群众赶赴现场,先用麻袋装土和梢秸料、棉被、棉絮等堵塞洞口,被急流冲走;后又在背河打桩,用门板、钉耙、车盘捆扎后堵住洞口,阻挡料物被水冲出;在临河侧又加抛麻袋、被褥,经过一夜的紧张抢护,才将漏洞堵复,化险为夷。

在凌汛紧张时期和抢险堵漏的关键时期,沿黄党政军民全体动员,积极参加堤坝防守和抢险,积极破冰泄水,组织滩区群众迁移救护。人民解放军派出爆破队和火炮多门,在道旭、利津一带轰击积冰、爆破冰堆;山东黄河河务局机关全体人员分头出发,一方面在蒲台、利津和宫家险工砸冰,另一方面集中所有船只赴滩区各村抢救灾民。垦利七龙河、南岭子村 300 多户被水包围,县区干部驾小船 5 只,不到 1 天 1 夜的时间就把群众全部救出。

二、1951 年下游凌汛

1950 年 12 月 1 日,受冷空气南下侵袭,气温急剧下降,9 日北镇气温最低为 - 16.2℃,14 日利津河段开始淌凌,下旬气温继续下降,全河普遍淌凌。1951 年 1 月 7 日,利津站流量 460m³/s,河口段开始插凌封河,之后向上迅速发展,14 日封至郑州花园口,封冻长 550km,总冰量 5 300 万 m³,河槽蓄水 10.57 亿 m³,最大冰厚 0.4m。山东省人民政府于 20 日发出《关于加强防护黄河凌汛的指示》,要求沿黄各地、县加强对黄河防凌的领导,充分发动群众,做好组织工作,战胜凌汛。

1月22日气温回升,27日平原省境内黄河开凌解冻,冰水齐下,沿黄各级修防部门立即上堤,各县防凌指挥部紧急通知各区、乡、村迅速组织防守队伍,待命上堤。29日河开至济南泺口,凌峰流量增大到830m³/s,水位急剧上涨,气温仍不断回升;30日河开至利津,凌峰流量增大到1 160 m³/s,2天内水位上涨1.45m;当河开至前左1号坝时,河口气温还比较低,前左以下尚未开河,冰水受阻,流冰上爬下塞,形成冰坝,前左水位急剧上涨2.4m,冰凌向上堆积。31日6时冰凌壅塞至章丘屋子,18时发展到东张,冰坝长度达到15km,堆积冰量约1 000万m³,回水影响70多km,利津、垦利滩地全部上水,堤防全部偎水,大块冰凌壅上堤坝。利津、垦利两县组织了9 300多群众上堤抢修子埝,日夜查险;山东河务局爆破队在前左河段突击爆破,因冰凌堵塞太多,河段太长,河槽冰凌插死,爆破效果不大。2月1日晚,封冻河段受东北风影响,气温又一次剧降,上游流冰又被冻结,前左至宁海20km河道的冰量达4 000万m³以上,滩地由于水流缓、流冰多,也被插冰堵塞水位再次迅速上涨。2日18时,前左水位又涨2.0m多,利津站水位达13.76m,比1949年大汛期最高洪水位还高0.83m,北岸十六户,南岸宁海、东张一带堤顶离水面仅0.2~0.3m,局部堤段水与堤顶平齐。将家庄、扈家滩、西张、东张、章丘屋子等处先后发生漏洞、渗水等险情13处,均经奋力抢护脱险。

2日夜11时,在王庄险工以下380m处背河堤脚发现大的漏洞3处,其中最大1处洞口直径30多cm,巡堤查水人员发现后当即鸣警告急,河务分段立即组织30多名抢险队员和300余名民工急速赶到奋力强堵,因临河水面全为冰凌覆盖,无法找到洞口;背河抢堵因天寒地冻,取土困难,料物难以筹集,无法有效实施,漏洞不断扩大,过流越来越急,此时在临河破冰的队员发现大旋涡,正在用麻袋、棉被抢堵时,背后堤坡突然塌陷,继而堤身也塌陷10余m,正在抢险的10多人和照明灯具一起陷入口门,其他人员仍继续奋力抢堵,终因堤身已溃,又值黑夜,料物供应不上,于2月3日1时45分大堤溃决。随堤塌陷的3名队员被水冲走,不幸牺牲。

大堤初决时口门宽10余m,发展很快,到3日8时发展成2个口门,共宽159m,中间有约50m的残堤,口门最终扩宽到216m,水深13m,过水流量600m³/s(据事后调查,口门处是光绪19年赵家苹果园决口处,堤身下有厚约1.0m的腐殖秸料层)。溃水分2股,一股向东北,一股向西北,于八里庄汇合,在沾化县境富国、杨家庄子等处入徒骇河归海,泛区宽14km,长40km,淹及利津、沾化2县3万 hm² 耕地,122个村庄,倒塌房屋8 641间,受灾群众85 415人,死亡18人。

王庄决口后,水利部、黄委会、山东省人民政府、山东省河务局及地区负责人都极为重视,星夜赶赴现场,安置灾区群众,研究堵口方案。3月21日堵口工程开工,先在两坝头背河修筑围堤供存料、取土,在口门附近打桩编柳,落淤出滩后,仅有2沟过水,总宽不到100m,最大流速0.5m,水深0.1m,当即从两端以麻袋装土抛填,即将合龙时,流量突然增大,河水上涨,30日利津流量1 000m³/s,形势恶化。第二天河水退落,口门处水深只有2.3m,潭坑也已淤平,又将两边坝头帮宽,采用单坝进占,占后筑戗,占前抛石护根,下占合龙的办法进行抢堵。4月1日两边单坝同时进占,昼夜不停。7日凌晨,7 000多抢险队员集合工地,进行决战,5时25分下占合龙,9时闭气,堵口成功。之后又完成复堤土方4万多 m³ 及险工埽坝加固、刨根等工作,5月20日堵口工程全部竣工。此次堵口共用土24万 m³,秸柳料209.1万 kg,石料1.54万 m³,木桩1.2万根,麻袋7.5万条,铅丝4.2t,用工24万工日。

三、1955年下游凌汛

1954年12月8日,河口开始流凌,15日在小沙一带插封,12月25日河口气温最低值达−17℃,封冻迅速向上游发展。至次年1月15日封至河南荥阳汜水河口,封冻段落长623km,冰量1.0亿 m³。其中河口地区冰量近4 000万 m³,一般冰厚0.3~0.5m,河口地区最厚达1.0m,王庄以下部分河段冰堆高达2~3m。

针对当年的严峻防凌形势,山东省委、省政府于1954年12月24日就下达了"关于黄河防凌工作的指示",要求沿黄各地必须百倍警惕,充分做好准备,尽最大努力,克服困难,战胜黄河冰凌。各地县都组织了爆破队、机动抢险队,设立了冰凌观测队,滩区村庄加修围村堰,动员散居户提前迁出,在南北两岸分别设立了指挥部,做了比较充分的准备。

1955年1月23日,济南以上日平均气温转正,冰凌融化,27日花园口开河,凌峰流量1 070m³/s,28日开至泺口,冰水齐下,水鼓冰开,水位猛涨,发展急速,29日3时河开至利津,此时利津最低气温仍在−8.5~−11.6℃,冰层坚固,河开至王庄时冰水受阻,冰块上爬下插,形成冰坝,王庄至麻湾间的30km河道冰积如山,有的大冰块壅上堤顶和险工坝顶,虽经炸药爆破、飞机轰炸、重炮轰击,都无济于事,在20小时之内,40km河段全部漫滩,有30km河道超过保证水位,向上影响河道长度达90km,河槽蓄水量约2.1亿 m³。利津刘夹河 29 日 1 时水位为 11.02m,18 时 30 分达 15.31m,上涨了 4.29m,最快时每小时上涨 0.9m,高出保证水位 1.5m,部分堤段水与堤平,利津以上堤顶离水面也仅有 0.5～1.0m,情况万分紧急。当地党政军民全力以赴,一方面组织爆破队进行爆破,并用大炮、飞机爆破冰凌,另一方面部署抢修子埝,严密巡堤查水,抢护险情。但王庄至王旺庄堤段仍先后出现漏洞 20 多处,普遍告急。29 日 18 时,刘夹河背河堤坡 3 处冒水。其中坡脚处用麻袋装土排压后的一处冒水,虽然暂时停止流水,但 19 时情况突然恶化,成为 2 个出口,水流如注,险情迅速发展,使用麻袋、被褥、棉衣等进行堵塞时,均被冲走,洞口越来越大。随后虽紧急从利津城调来大批料物,在临河用麻袋装土抛成埽形,但因堤身内失土过多,多处出现裂缝,长 18m 的堤段突然蛰陷,深 5m,在场群众趁堤顶塌陷、水势稍缓之机,突击抢堵,于 23 时堵复。

29 日 18 时,佛头寺(今胜利)险工 10 号坝出现漏洞,当时已决定分凌,在炸开堤顶冻土分凌时,飞土反将漏洞堵死。19 时炸开小街子溢洪堰围堤分泄凌洪,因过流小,水位继续上涨,王旺庄以下超过保证水位。五庄堤段原是 1921 年宫家决口合龙处,有县、乡、村分段 10 多名干部和 400 余名防汛队员防守,21 时左右大堤背河柳荫地出现多处管涌,半小时后发展成为漏洞,洞口喷水如注,防守人员立即在背河用麻袋装土排压,在临河打冰寻找洞口,用草捆、麻袋装土、玉米秸等堵塞,但随抛随冲,漏洞急速扩大,堤顶塌陷成缺口,参加抢险的 2 名民工不幸牺牲。使用沉船堵口,船只靠近洞口即被吸入冲走,用 2 只装满麻袋的船填堵,也被冲走,口门已发展到 3m 多宽,又用大船装秸料和麻袋堵塞,再次被水冲走,口门扩宽到 10m 以上。此时,7 级北风凛冽,16 盏照明灯全被吹灭,取土困难,料物耗尽,于 29 日 23 时 30 分堤身溃决,口门中心桩号 296＋300,口门宽 305m,水深 6m,推算最大过流量 1 900m³/s,临河滩地冲刷成深沟,长 750m,宽 110m。正当五庄村西抢险时,王庄村东大堤桩号 298＋200 处背河亦出现漏洞,因民工已全部奔赴村西抢险,出险时无人相顾,于 30 日 1 时溃决,口门宽 80m,冰水顺临河堤根倒流冲刷成沟,水出口门约 2km 与西口门溃水相汇合,沿 1921 年宫家坝决口流路经利津、沾化入徒骇河入海。受灾范围东西宽 25km,南北长 40km,利津、滨县、沾化 3 县 360 个村庄 17.7 万人受灾,淹没耕地 5.87 万 hm²,倒塌房屋 5 355 间,死亡 80 人。

王庄决口后,中央领导及山东省省委、省政府都十分重视,及时调拨救灾款和粮食救济灾民,安排灾民生活。为争取桃汛前堵复决口,使灾区早日恢复生产,山东省政府决定由山东省河务局与惠民专署组成"山东黄河王庄堵口指挥部",河务局调集工程技术人员勘查现场,拟订堵口方案,趁落水之机,组织

1 372 名民工和技工在东口门滩岸挂柳缓流落淤,堵复滩地串沟。2 月 28 日滩地沟口堵复,西口门修做挑流坝,沟口挂柳落淤。3 月 6 日开始截流,6 000多民工从两岸同时进占,冒雪奋战,11 日抛枕合龙,加修后戗,13 日堵口完成。堵口共用石料 3 585m³,柳 154.1 万 kg,秸料 167.5 万 kg,用工 39.64 万个。之后,又调集 6 600 名民工修做口门复堤工程,用土方 39.64 万 m³,用工35.65 万个,于 5 月底完成。

四、1969 年下游凌汛

1968 年 12 月~1969 年 2 月,因受多次强冷空气侵袭,气温升降变幅大,流冰时间短,封河早,封冻期长,冰量、槽蓄水量大,黄河下游出现了历史上少见的 3 次封河 3 次开河和 3 次漫滩偎堤的严重凌汛。

(1)首次封河与开河。1968 年 12 月,受强冷空气侵袭,河口最低气温为−10℃,14 日全河淌凌。20 日又遇强寒流,气温继续下降。1969 年 1 月 1日,利津站日平均气温降至−11℃,2 日在垦利义和庄险工首封,相继在西河口、王庄形成梯级封河,13 日封至东明高村,封河长 245km,冰量 2 462 万 m³,槽蓄增量 3.36 亿 m³。15 日后气温回升,18 日平均气温济南为 8.7℃,北镇为3℃,菏泽、聊城河段全部解冻开河,大量冰水下泄,艾山出现 1 240m³/s 的凌峰,水位猛涨,水鼓冰开。当河道开至齐河顾道口时,因下游尚未开河,大量冰凌受阻插堵形成冰坝,向上堆积至齐河,冰堆高出水面 4~6m,长清、平阴滩区漫水,有 50km 大堤偎水出现渗水险情,当即组织群众上堤防守。济南以下 19日开河到惠民归仁险工受阻,又遇冷空气侵袭,冰凌向上堆积至马扎子,至 1月 20 日山东河段尚有 132km 封冻未开。

(2)第二次封河与开河。1 月 19 日强冷空气侵袭黄河下游,至 24 日,−10℃左右的低气温持续约 6 天,形成第二次封河。2 月 2 日封至郑州京广铁路桥以上,封冻段长 600km,总冰量 8 550 万 m³,槽蓄水量 12.8 亿 m³,三门峡水库关闸蓄水。2 月 5 日气温开始回升,9 日河南河道解冻开河,山东艾山以上河段相继开河,高村站凌峰流量 1 040m³/s,到艾山站增至 2 760m³/s,凌峰所至,水位猛涨,齐河潘庄水位涨至 39.14m,长清、平阴滩区再次进水被淹。济南军区驻当地工程兵独立营全力以赴涉冰水抢救群众,经 4 昼夜将 2 万余群众全部救出脱险。参加营救群众的解放军官兵有 9 人在冰水急流中不幸牺牲。

11 日泺口凌峰流量为 1 210m³/s,河开至邹平方家形成冰坝,向上插封26km,冰量达 240 万 m³,水位陡涨 2m 多,有 50km 大堤离水面只有 2m 左右。

背河出现管涌等险情,章丘、邹平、济阳、高清4县滩区被淹,各县防凌指挥部组织群众上堤防守抢险和迁移滩区群众。

(3)第三次封河与开河。2月12日下游又遭受强冷空气侵袭,利津站13日平均气温降至零下,由于三门峡水库关闸断流,下游河道流量小,气温低,14日形成第三次封河后,发展很快,至24日又一次封到郑州铁路桥以上,长703km,总冰量10 327万 m^3。

三门峡水库15日库水位已达323.68m,为给第三次开河拦蓄水量预留一定库容,减少库区淹没损失,16日开一孔泄流400 m^3/s。周恩来总理非常关心黄河下游凌汛,多次听取汇报,批准三门峡水库运用水位由326m提高到328m。山东省防汛指挥部召开紧急防凌会议,部署沿黄地、县加强防凌措施,确保安全度汛。

25日气温回升,28日开始开河。为确保安全,在开河前利津、垦利各组织了3个爆破队,人民解放军派出8个爆破队,惠民、滨县、博兴县各支援1个爆破队,对利津窄河道及西河口以上重点河段进行突击爆破,奋战10天,爆破冰面1 545万 m^2,耗用炸药123t。3月1日郑州花园口解冻开河,5日开河凌头到艾山,因冰坝阻水,长清、平阴滩区第三次漫水。6日泺口开河,凌峰达1 040 m^3/s,受梯子坝至邹平方家冰坝影响,凌洪漫滩走溜,堤防发生渗水、管涌、漏洞等险情,后经抢护脱险。此时三门峡水库库水位已达327.64m,根据气温回升和下游开河情况,决定下泄流量加大至850 m^3/s。9日又遇冷空气侵袭,已开河河段又向上封河至章丘刘家园。13日后气温回升,三门峡增大泄流的水头到泺口,流量为1 000 m^3/s,促成局部开河,16日开河至利津,凌峰流量1 100 m^3/s,最高水位13.65m,王庄水位13.02m,达到1958年洪水位,17日罗家屋子水位9.53m,超过1958年大洪水水位0.82m,18日全河开通入海。

开河期间,王庄以下全部漫滩,15个村庄被水围困,渔洼至西河口水位与生产堤齐平,四段至罗家屋子大堤离水面仅0.2m。人民解放军、胜利油田、黄河农场、济南军区马场等单位和沿黄群众3 700多人参加防守抢险。西河口围堰出现3个漏洞,生产堤与弃土处溃决,经抢堵转危为安。18日渔洼以下生产堤3km处塌陷3个缺口,3个小时后扩大到50m,已失去抢堵条件,遂退守"五·七"闸引渠北堤,确保大堤安全。

由于3次封河开河,东阿至垦利9县滩区多次进水,共有130多个村庄6.6万人受灾,淹地1.8万 hm^2。三门峡水库防凌蓄水,最高运用水位达327.72m,控制运用长达52天,蓄水18亿 m^3。

五、1993~1994年度宁蒙河段凌汛

该年度黄河上游宁蒙河段于1993年11月18日在三湖河口断面上游100km处及下游20km处首先封冻,1994年3月26日宁蒙河段全线开通,封河历时129天。在封开河过程中,部分河段发生了不同程度的险情,各级政府和防汛部门采取了有力措施,积极进行抢险、堵口、组织群众转移撤退,减少了灾害损失。特别是在封河发展期,内蒙古堤防发生决口,是多年以来所没有过的。

(一)水情

1993年11月1日,龙羊峡水库蓄水167.0亿m³,相应水位2 577.28m;刘家峡水库蓄水33.9亿m³,相应水位1 725.63m;两库共蓄水200.9亿m³。凌汛结束后,4月1日龙羊峡水库蓄水减少到120亿m³,相应水位2 560.82m;刘家峡水库蓄水43.3亿m³,相应水位1 733.11m。凌汛期5个月两库发电泄水共计156.1亿m³,其中刘家峡75.26亿m³,较多年平均发电水量多3.92亿m³。1993年11月~1994年3月,兰州站总水量为89.18亿m³,较多年均值多12.67%;头道拐站总水量为76.7亿m³,较多年平均多6.39%;潼关站来水100.65亿m³,较多年均值少5.24%。

(二)凌情

1993年11月中旬前,宁蒙河段气温较往年偏高2℃,15日强寒潮入侵,气温骤降,巴彦高勒至昭君坟一带,日平均气温由冷空气前的5℃降为-14℃左右,降幅近20℃,极端最低气温:巴彦高勒站17日为-22℃,三湖河口站为-20℃,昭君坟站为-18℃。16日河道开始流凌,18日三湖河口断面上游100km处及下游20km处首先封冻。11月20日昭君坟水文站断面封冻,11月21日头道拐水文站断面封冻。至1994年1月底,宁夏河段封冻80km,封冻上首位于贺兰县的潘城。内蒙古河段封冻总长度为650km,晋蒙交界的河曲河段封冻70km,共封冻800km。各站流凌、封冻日期,见表8-3。

表8-3 各站流凌、封冻日期

站　名	流凌日期 (月·日)	封冻日期 (月·日)	流凌封冻时间 (d)	历年均值	
				流凌日期 (月·日)	封冻日期 (月·日)
石嘴山	11.20	1.18	59	11.30	1.9
巴彦高勒	11.18	12.5	17	11.27	12.12
三湖河口	11.17	11.24	7	11.17	12.7
昭君坟	11.17	11.20	3	11.17	12.5
头道拐	11.18	11.21	3	11.15	12.7

宁夏河段冰层较薄,平均为 0.25m。内蒙古河段乌海至磴口区间,冰厚 0.5～0.6m;磴口至乌拉特前旗区间,冰厚 0.5～0.9m;包头河段冰厚 0.5～0.7m。内蒙古河段槽蓄增量 7.66 亿 m³,较多年均值多 22%,主要集中在三湖河口断面以上。

该年度内蒙古凌汛的特点是:流凌时间短,封河早,较常年提前 7～16 天;三湖河口断面以上封河水位高,昭君坟以下封河时流量小,水位稍低;晋蒙交界的河曲河段封河时间比上年度早 26 天,比历年均值早 13 天,而且出现 2 封 2 开现象。

(三)险情、灾情

内蒙古河段因封河早,流量大,封、开河期共出现 8 次较大险情,其中 4 次抢护不及造成程度不同的灾害,共淹没土地 1.2 万多 hm²,1 883 户 9 800 人受淹,倒塌房屋 1 760 余间。这 8 次较大险情分别为:

(1)封河期间内蒙古河段五原县至磴口县区间水位表现较高,大部分滩地上水,淹没滩地近 0.27 万 hm²,115 户居民家中进水,100 多户农民被水围困。

(2)1993 年 12 月 4 日,伊克昭盟堤防桩号 189km(夹心村)处套堤决口,淹没面积 2km²,因口门下游有隔堤,灾情没有扩大。

(3)1993 年 12 月 6 日,当封河上首发展至三盛公闸下时,由于气温升降变化比较频繁,封而又开,开而复封,上游大量冰块下滑,在闸下 3～5km 处形成冰塞,水位猛涨至 1 054.4m,超过 1 000 年一遇洪水位 0.2m,为拦河闸运行 32 年以来的最高水位,防洪堤全部偎水,堤顶离水面一般为 30cm,最低处只有 9cm。7 日 20 时左右闸下 3.3km 处(磴口县南套子)发生漏洞,未及处理堤防即形成决口。由于天色已晚,照明设备不足,加之天寒地冻,取土困难,料物筹集供应不上,到 8 日 8 时决口口门已发展到近 40m。内蒙古封河期堤防决口,引起了国家防总、黄河防总和内蒙古自治区各级政府的高度重视,当地政府进行了紧急动员,人民解放军积极支援,国家防总和黄河防总派出工作组赶赴现场指导抢险堵口。为了防止灾情扩大,在口门下游利用渠堤修筑了二道和三道防线。经过数千军民 5 昼夜的顽强拼搏,于 12 月 12 日将口门全部堵复。

此次决口淹没范围达 80km²,其中耕地 0.4 万 hm²,有 2 986 户、13 962 人临时转移,1 757 户、9 460 人家中进水,共倒塌房屋 1 750 间,冲毁闸、桥 19 处,公路 7km,直接经济损失 4 000 多万元。

(4)12 月中旬,当封河发展至乌海市境内时,由于局部河段冰凌堵塞,造成乌达、海勃湾等地堤防被淘断,淹没农田、草场近 330hm²。

(5)1994年3月18日,开河期五原县白音赤老工程处发生堆冰(桩号125km),20日23时堆冰发展到复兴大坝险工(桩号120km),形成5km长的冰坝,上游水位上涨1m多,水面距坝顶仅0.1～0.3m,有50m堤段水与堤平,即将漫顶,五原县政府连夜组织干部群众400余人上堤抢险,国家防总和黄河防总工作组立即赶赴现场,请调空十军2架轰炸机,在空军地面引导组的指挥下,投弹24枚,命中冰坝,主流开通,水量归槽,水位回落,险情解除。

(6)1994年3月23日,伊克昭盟乌兰新建堤对应河段冰凌堵塞,形成冰坝,水位迅速上涨,大堤偎水1.5m。23日2时穿堤涵洞漏水造成大堤决口,经抢堵无效,口门由2m发展到30多m。淹没土地近700hm²,其中耕地300多hm²,有4户居民家中进水,倒塌房屋8间。24日和25日,空军连续出动飞机4架次,对冰坝进行轰炸,投弹64枚,25日10时冰坝开始移动,14时水位开始回落,险情解除。

(7)1994年3月2日,包头钢铁厂水源地和黄河包头—神木铁路大桥2处发生冰凌堆积,水位上涨,包头市防汛指挥部迅速作出决定,由包头警备区派炮兵轰击冰坝,共发射炮弹30发,炸通河道,水位回落,未造成大的险情。

(8)1994年3月24日,黄河晋蒙交界的河曲河段阳面断面下游400m处,由于上游冰面滑动形成冰坝,高出原封河冰面3m,长1 000m,水位壅高3.1m,至24日15时冰坝崩溃,水位回落。由于水位比较高,山西一侧河曲县600m防洪堤被冲垮,淹没耕地200多hm²,9座温室大棚冲毁报废,2个电灌站机房毁坏。内蒙古一侧的准格尔旗马栅乡淹地200余hm²,7户居民家中进水。

(四)防凌部署

黄河防汛总指挥部办公室对1993～1994年度黄河防凌工作非常重视,在1993年10月上旬就召开了全河防凌工作会议,要求各级防汛办公室要认真做好防凌准备工作,进一步统一思想,顾全大局,分级负责,协同作战,确保凌汛安全。讨论了"黄河防汛总指挥部1993～1994年度黄河防凌工作意见",确定了刘家峡、三门峡水库凌汛期水量调度运用方案,对防凌工作进行了全面部署。凌汛前沿黄各省、区各级防汛指挥部根据"黄河防凌会议"精神,结合本地区、本部门的具体情况和任务,做了认真的部署,层层落实了责任制,对险工险段制订了防凌预案,组织了冰凌观测队和冰凌爆破队。

(五)水量调度

为了确保沿黄广大人民生命财产安全,最大限度地减少凌汛灾害,黄河防汛总指挥部办公室依据气象、水情、冰情变化情况,按照在保证防凌安全的前提下,兼顾发电的原则,从 1993 年 11 月 1 日开始对刘家峡水库下泄流量进行调度。

　　11 月上旬,因距内蒙古平均封河日期时间较长,刘家峡水库下泄流量按发电和宁蒙灌溉需要控制。中旬前期减少到 750m³/s,中旬末受强冷空气影响,内蒙古河段 11 月 18 日封河,之后由于气温回升,12 月 5 日左右封河上首维持在三盛公闸上下,水位不断上涨。8 日,黄河防汛总指挥部办公室及时将刘家峡下泄流量减少到 550m³/s,为了配合内蒙古磴口堤防堵口抢险,11 日又进一步压缩到 500～520m³/s,缓解了内蒙古防凌压力。稳定封河期,刘家峡泄流一直控制在 550m³/s 左右。开河期间,鉴于本年度封河早,封冻期长,冰层厚,槽蓄增量大且集中于三湖河口断面以上,以及封河期间堤防决口损失较大等情况,经与内蒙古防汛办公室、黄河上中游水调办公室、西北电业管理局等单位协商,自 3 月 1 日起,控制兰州站日平均流量不超过 450m³/s,为宁蒙河段平稳开河创造了条件。

　　1993～1994 年度凌汛结束之后,针对内蒙古封河期间堤防决口等情况,各个方面都进行了认真的总结,提出了一些积极的措施,研究分析了封河期间可能发生的问题。根据气温变化、宁夏引黄退水过程、封河发展速度等情况,通过加强上游水库的调度,为平稳封河创造条件;内蒙古自治区加快了堤防及河道工程建设步伐,对黄河大堤进行了加高培厚,全面整修了穿堤涵洞,修建了部分河道节点工程,提高了综合防洪防凌能力。在此之后的各个年份,内蒙古自治区防汛防凌指挥部办公室更加重视了封河期间的巡堤查险、冰凌观测等工作,采取了更为积极的措施,有效地减少了凌汛灾害。

第九章　重大险情抢险实例

例1　山东省东阿县牛屯大堤1954年管涌险情的抢护

一、基本情况

山东黄河左岸东阿牛屯大堤,位于位山险工的上首,当时牛屯堤段因常年受溜坐弯顶冲,临河偎堤修了石护岸及坝头,堤顶高出背河地面6.5m,堤顶宽11m,并修筑有后戗,戗顶宽5m,边坡1:5,戗顶高出背河地面3.3m,背河地面低于临河地面3.2m,即临背差3.2m。背河距堤脚10~15m以外有一排水沟(系排泄原虹吸管水开挖而成),宽30m,深1.5m,与堤线平行,距堤脚近的一段沟长200m,沟的外面是群众住宅,宅基一般高出地面1.0m,沟底纯是流沙,地面土质为沙质,局部含有少量红土。1954年8月8日洪水涨水时期,孙口水位47.47m,位山水位43.30m,牛屯背河地面低于临河水位3.30m,这时在堤脚30m处沟内最先出现管涌4个,直径0.3~0.6m,带出泥沙,有的呈黑色,有的呈黄色。其后,管涌数量及直径增加迅速,形势十分严峻。

二、出险原因

洪水期间,临河水位和背河堤脚高差3.3m,临河堤坡水边与背河堤脚水平距58.1m,渗距与水头的比值达17,堤身断面满足浸润线要求,出现管涌原因主要是基础问题。

三、可能造成的危害

由于牛屯管涌数量多,面积大,有的孔径达1.0m,深达3m多,是相当严重的险情,如果抢护不及,险情会逐渐恶化,堤基土体大量被带至背河,可能引起堤身坍塌、蛰陷,甚至使大堤决口成灾。

四、抢护措施及效果

当时,由于缺少抢护管涌险情的经验,采用了草捆草袋堵塞法,结果堵塞后又在四周发现新的管涌,并且逐渐增多,立即组织民工挑土压盖,初始阶段组织 300 名民工,挑土压盖沟长 45m,由于上土速度慢,翻沙鼓水仍很重,经压盖一昼夜,土层厚达 2m,水仍外溢,并且沟底管涌长度增加 100m,在压土的两头又出现管涌 10 余个,这样先后共出现管涌 36 个,最大的直径 1m 左右,深 3.2m。由于管涌多呈翻花状,稀沙喷流四周,险情严重,为此,连夜调集民工 2 000 余人,填压工段长 200m,宽 30m,并在未盖土前先把管涌用麦秸塞严,用麻袋装土压住,然后在上面及四周铺麦糠厚 30cm,上盖席片,并迅速压土厚 1.5~3.0m,经过 15 天不分昼夜的突击上土,修了长 200m,宽 30m 的戗台;另外,又在两端加修了一段后戗,始保大堤未失。

五、经验教训

防汛抢险首先要分清险情,熟练掌握各种不同险情的抢护原则和方法,在拟定抢险措施时,要积极慎重,科学合理。此次抢险,由于起初对情况分析不够,未遵循"反滤导渗,减缓渗流,制止泥沙流出,留有渗水出路"的管涌险情抢护原则,而采用强塞硬压法,结果险情越抢反而越重,堵一处出数处,管涌口随土层上升而上升,面积越来越大,这里堵的越严,那里翻沙鼓水就越严重,以致于开始堵的一段虽压土厚 2m,但出水不止,以后采用铺麦秸麦糠作反滤层,修做梢料反滤铺盖,采取正确的抢险方法,方才化险为夷,经验和教训都很深刻。

例2 山东省齐河县南坦大堤 1954 年滑坡险情的抢护

一、基本情况

(一)南坦堤防概况

齐河南坦堤段是常年靠河的险工堤段,背河常年积水,1949 年洪水时,背河渗水严重,于 1950 年春加修宽 5m,高 3.5m,边坡 1:5 的后戗,又于 1952 年继续将后戗帮宽 4~5m。1954 年汛前,南坦堤段顶宽约 9m,临河堤高约 3.20m,背河堤高约 7.40m,临河边坡 1:2.5,背河边坡 1:3。

(二)出险过程

1954 年 8 月 6 日,黄河水位开始上涨,至 11 日晚 8 时,南坦堤段水面已较背河地面高出 6m,经过 5 昼夜的浸泡,堤身下部土体达到饱和状态,背河约 2.5km 堤段普遍渗水,尤其是在 114+200~114+350 堤段内,背河由渗水发展到滑坡。其过程是:先在戗脚形成泥糊,泥糊逐渐随渗水、涌泉向外流失,继而由坡脚向上发展。因堤坡失去支撑,开始出现裂缝,然后蛰陷,最后变成泥糊流失。在 2 小时左右,长 50m、宽 6m、高 2m 的堤坡全部脱去。此后,渗水流速越来越大,管涌直径扩大为 5~6cm,且数量相当普遍,险情也随之发展扩大,以至最后造成宽 6m、高 2m、长 150m 的堤段发生滑坡险情。

二、出险原因

(1)高水位引起背水坡滑坡。南坦背河脱坡出险时,临河水位已达 32.07m,较背河地面高出 6m。由于水头高、压力大,且堤身已受水浸润达 5 昼夜,时间较长,散浸严重,堤身下部土体已达饱和。因此,抗剪强度降低,渗流流速过大,险情不断扩大,导致滑坡。

(2)堤身土质差,渗透系数大。经锥探,在堤顶 2.4m 以下至 9.2m 全部为沙质土,即堤身与堤基都是强透水性材料,渗透系数大,土体易于饱和,产生渗水和流土险情。

(3)后戗基础为老潭坑。该潭坑系自行淤塞填平,多为有机质,成烂泥状,厚约 4m,再下为 1m 厚的板沙,板沙下仍为烂泥,承载能力小,洪水期堤身浸润饱和,荷载加大,难以保证工程的安全。

三、可能造成的危害

南坦滑坡位于险工堤段,经常靠大溜,如果抢险不力,导致堤防决口,洪水将沿徒骇河两岸漫流入海,淹没面积达 10 500km²,涉及津浦(济南—德州段)铁路及德州、滨州等地市人民生命财产安全。

四、抢护措施及效果

由于滑坡原因系渗水集中而造成,渗流流速较大,土质抗剪力降低,导致流土产生。因此,其抢护方法本着既能保证工程安全完整,又能将堤内渗水安全排出的原则。结合当地料物条件,采用柴土导滤法。具体做法是:先用草袋装好麦秸,在已滑坡范围内普遍压盖,由于基础已成泥浆,将底层草袋尽量踏入烂泥。如此连续铺盖 3 层,厚约 1m,基本上达到了严密的程度。在草袋上压盖土料,厚约 1.5m,高度以略超过浸润线部位为宜。经如此抢护之后,险情减轻,经过 12 昼夜的考验,虽仍继续渗流,却系清水,未再发生大的问题。证明抢护方法正确,使工程转危为安。

五、经验教训

(1)正确认识出险原因是抢险成功的前提。发现险情后,首先应分析研究出险原因,根据出险原因,对症下药,制定相应抢护措施。齐河南坦险情发生后,有的认为系渗水集中造成,有的认为是漏洞流水,后经仔细探查与研究,证实为渗水形成,随后制定了用柴土导滤的方法,符合导渗还坡的抢护原则,险情很快被制止。

(2)对渗水险情,出险之后,切勿惊慌失措或在险要范围内乱行踏压,以免使工程受到外界干扰而导致险情扩大。

(3)背河发生渗水,仅渗清水,问题不大,如一旦出水变浑,再往下发展就会有滑坡危险。尤其是在堤身薄弱差或基础不良的堤段,须加倍注意,对此种险情应采用反滤法进行抢护,以防冲出泥沙,使险情扩大。

(4)单纯用土料压垫,以消减险情的办法,事实证明会造成两种恶果。一种是意欲压盖土料堵塞涌水渗流,导致此处修好,彼处又生险,险情愈加严重,结果是事倍功半,且不能解决问题;另一种是压垫土方后,渗流排泄不畅,导致浸润线抬高,降低了堤身御水能力。这种方法是失败的,应视为教训,今后要力避采用。南坦抢险在压盖土料前先用3层麻袋麦秸,人工修了反滤导渗层,使清水导出,土粒留于堤内,有利于堤坡的稳定。

例3 山东省济南市老徐庄堤段1958年漏洞险情抢护

一、基本情况

(一)堤段概况

老徐庄堤段位于黄河右岸的山东省济南市郊区。当时该堤段的基本情况是:堤顶高程34.60m,临河堤脚高程33.20m,背河堤脚高程26.40m,即临河堤高1.40m,背河堤高8.20m。临河边坡1:2.5,背河边坡1:3,堤顶宽7m。

(二)出险过程

1958年7月17日23时,花园口出现22 300m³/s的大洪水。7月19日,山东济南河段开始涨水,23日12时济南泺口站最高水位32.09m,超保证水位1.09m,老徐庄堤段临河水位比背河地面高6~7m。

7月23日,在老徐庄险工上首47号防汛屋附近长85m堤段内,先后发现

3个漏洞过水。当日1时首先在临河堤脚处发现2个陷坑(背河未出水),当即用草捆、麻袋装土堵塞,当日4时,于两陷坑下首约50m处背河戗顶与坡道结合处出现直径约0.1m的漏洞流浑水,相继在临河(与背河出水洞口相对位置)堤坡上发展,水面发现旋涡,经探摸确定水面下深1.0m处为进水洞口,随即用草捆1个及麻袋3条(未装土)堵塞,背河流水停止,险情缓和。不久在第一个洞口下游4m处又发现出水洞口1个,除在出水口用土袋作养水盆外,又在临河相继找到进水口,用草捆、柳枝及土袋堵住。半小时后,第一个漏洞出水口又冒浑水,水流更急,同时背河后戗顶部又出现新漏洞1个,出水口直径如鸡蛋大。前后85m长堤段范围内,共发现临背贯通漏洞3处,如有一处抢护不及即可造成大堤决口,险情十分危急。

二、出险原因

老徐庄出险堤段的土质多为沙土,1949年汛期曾因大堤高度不足,抢修子埝。之后,又在临河帮宽1.50m,当时亦是用沙土填筑,夯打不实,复堤质量差。后经翻挖证实,确系因旧堤身内存有隐患而出险,在破堤翻筑时,背河出水口处漏洞迹象很明显。洞身方向基本与堤身垂直,洞径7~20cm,在漏洞内有湿黏的黄淤泥,临河有裂缝,缝内夹有黄黏泥。经现场观察分析,裂缝很早已在堤身内部残存,又加上此处过去大树很多,腐烂树根亦造成堤内存在空隙。1958年水位较高,临河堤坡单薄,一经水浸,渗水通过裂缝,从背河流出,渗水越来越多,最后发展成漏洞。主要因素归结为以下几方面:①堤身内残存隐患未彻底根除;②大树根已腐烂,造成堤内的空隙;③土质松散,旧堤质量差;④水位较高,水压大,渗水流速快,一旦与隐患连通,势必产生漏洞。

三、可能造成的危害

漏洞是最为严重的一种险情,因漏洞造成堤防决口在历史上屡见不鲜。山东济南老徐庄堤段3处漏洞如有一处抢护不及即可造成大堤决口。由于洪水位高出背河地面6~7m,一旦决口,济南市首当其冲,淹没全城,山东省的政治、经济、文化中心将处于瘫痪状态,京沪铁路也将被迫中断,洪水将沿小清河两岸漫流入海,黄河可能出现新的改道,后果不堪设想。

四、抢险措施及效果

老徐庄堤段漏洞抢护初期,采取的措施是"临河塞堵,背河做反滤围井"。具体过程是:当在堤身背河发现漏洞时,一面在背河用土袋做小型半圆型围埝

（半径 1.0m 左右）将出水养住,一面在临河及时找到进水口,用草捆及未装土麻袋将洞口堵塞,后用柳枝编围坝,填抛土袋及散土。当时险情略有缓和,但仍然感到不够安全,随即又在背河土袋围埝内填铺厚 20cm 麦秸,并压土袋,但效果不甚理想。不久旧洞又冒黄水,因麦秸反滤围井质量不好,将麦秸冲开,水流速度加大,随即又将反滤围井半径扩大至 10m,铺填麦秸 7 500kg(厚50cm),用土袋 1 000 余条,大力加固,并在临河用土袋 4 000 余条打长 85m 月堤一道,将发生问题的堤段全部围住,并在月堤与大堤中间浇筑散土 2 000m³,至工程基本完成时,背河漏洞才停止流水完全闭气,险情彻底消除。

五、经验教训

漏洞是堤防工程最危险的险情,要抢早抢小,一气呵成。在遵循"前截后导,临背并举"原则的同时,还要注意以下几方面:

(1)要切实注意抢堵工程质量,不能因情况紧急而草率行事。如在初次修筑麦秸反滤围井时,因麦秸厚度不够(仅 20cm),围井太小,压重亦轻,以致又将麦秸冲开,洞径又扩大。在临河堵塞漏洞,用柳枝编围坝时,将乱柳棍、散柳枝等遗存于进水口处,抛土袋后因架空难以填严,造成长时间的流水,直至填筑散土完工时,才全部断流。

(2)漏洞一般是先从背河发现,当发现背河漏水时,要从速在漏洞出口抢做反滤导渗工程,以制止泥沙外流,防止险情继续扩大。同时,要抓紧在临河寻找进水口,一边寻找,一边先用散土浇填,一旦找到进水口,先用草捆、麻袋塞填,减缓险情,同时修做土袋围埝,内浇散土闭气。

例4　山东省济南市历城区王家梨行险工
1981 年滑塌险情抢护

一、基本情况

(一)工程概况

王家梨行险工是一处老险工,位于黄河右岸,位于济南市东北,距济南 30余 km。1898 年(光绪二十四年)阴历 6 月 24 日曾发生决口,口门宽约1 500m。现在该工程 9 护岸及 10 号坝的位置即为当时的合龙口门。现险工长2 280m,有坝岸 62 段(道)。1952 年前,8~11 号坝都是乱石坝,1952 年将 9~11 号坝 3 段坝岸改为浆砌石坝岸,其后又进行过两次加高,共 3.7m,1974 年将 8 号护岸改为浆砌石护岸,并于 1979 年加高。这 4 段坝岸均系王家梨行险工的次要坝岸,坝顶高程在 33.3m 左右,工程高度达 10～11m。从历年河势情况看,这段工程在中、高水位时靠水不着溜,低水位时靠溜冲刷。

(二)出险过程

12 月 25 日,8 号、9 号、10 号、11 号 4 段坝岸滑塌破坏,滑体长 81.6m,最大塌陷深度 6.6m,体积约 8 825m³。其发展过程大致有 3 个阶段:

(1)工程出现裂缝。1981 年 9 月 14 日上午 9 时,8 号浆砌石护岸距沿子石外缘 5.5m 处,护岸顶面发现有顺堤裂缝 1 条,长 25m,宽 8mm,同时在 8 号护岸上首沿子石有竖缝 2 条,两缝相距 5m;7 号坝下垮角坝面上裂缝两条,深 2m,宽 3～4mm。

(2)裂缝继续发展,工程初始滑动。工程出现裂缝后,经观察,汛期 9、10 月份第十四、第十五次洪峰期间没有发现扩大现象。直到 11 月 17 日,大河水位消落,背河机淤水位升至 32.3m 时,裂缝开始发展,11 月 21 日裂缝伸展到 11 号护岸,缝长由原来的 25m 发展到 70m,缝宽也同时扩大,由原来的 8mm 扩大到 20cm,并下蛰 18cm,护岸面上有横缝 8 条,宽 30cm。

(3)工程破坏阶段。从 11 月下旬到 12 月 10 日,险情没有发生新的变化,当时误认为坝岸墩蛰,并于 12 月 13 日组织力量开始翻修,沿坝身裂缝开挖一条长 70m,深 2.5m,上口宽 5m,下口宽 1m 的沟,逐段压实回填,12 月 25 日下午竣工,但当夜 4 段坝岸突然滑塌破坏。

二、出险原因

(1)该险工坝岸高达 11m,浆砌石外坡 1:0.35,每延米仅有根石量 5～8m³。由于坝高坡陡,根石单薄,基础坐落在软土夹层上(并有老秸料),这是造成滑塌的基本因素。1981 年汛期水量较丰,中水位持续时间长,汛后小流量时,水流归槽,坝前走溜,根石被淘刷,是坝体滑塌的重要原因。按滑裂面的位置和弧度计算,坝坡的滑动安全系数小于 1。

(2)自 1981 年 3 月 27 日～11 月 5 日,这段堤防背河放淤固堤,长期积水,8、9 号护岸背河淤区,1980 年淤积厚达 6m,汛期坝前大河水位高,对坝身有支撑作用。汛后大河水位回落,较汛前降落 3.8m,而背河淤区水位则逐步上升,到 11 月 17 日淤区水位达 32.3m,高出坝前大河水位 7.8m,使坝身土壤饱和,土的荷载加大,渗透压力也相应增加,这对坝体稳定是不利的。

据稳定分析,由于背河水位增高,大河水位降低,其稳定安全系数约减小 10%,说明工程滑动裂缝发展的第二阶段与临背水位变化有关。

(3)在工程处于出险的临界状态时,由于沿坝身裂缝挖槽回填夯土,在受外力振动的情况下,增加了动力荷载,促使了滑塌破坏。

三、可能造成的危害

险工坝岸是保护堤防的屏障。王家梨行险工 8 号、9 号、10 号、11 号坝岸位于老口门处,发生滑塌墩蛰险情,如果不及时进行抢护,则可能会在凌汛期再次造成决口,祸及济南以东地区以及胜利油田黄河采油区的生产,损失巨大。

四、抢险措施及效果

王家梨行险工 8~11 号坝岸险情发生在 12 月 25 日,当时已进入"四九"天气,大河随时可能封河,确保凌汛安全是当务之急。本着固基、缓坡、减载的原则,采取临时抢护措施,将所塌坝岸抛石固基 700m³,顺滑塌坝岸顶部加高石方 500m³,使顶部高程超过凌期大河流量 3 000m³/s 相应水位 1m,以防漫溢。此项工程投资 12 万元(当年价),于元月 24 日完成,历时 1 个月。1982年汛前将几段坝岸进行了彻底翻修,由陡坡改为缓坡乱石坝。为防止土胎淘刷,坝胎土采用红土修做,并在乱石与红土坝胎之间增加碎石垫层。

五、经验教训

(1)王家梨行险工的出险,是汛后晴天小水出大险,为历史少见。这就告诫我们,黄河下游防汛要时刻警惕,常备不懈,不仅要警惕大洪水出大乱子,也要警惕中小洪水决堤成灾,务必克服麻痹思想,以高度为人民负责的精神,兢兢业业做好工作。

(2)由于河道淤积,堤防不断加培,因此险工坝岸也必须相应的加高改建,这样坝的高度越加越高,陡坡砌石坝的安全稳定问题也越来越突出。在根石基础很差的情况下,应将陡坡砌石坝改为缓坡乱石坝。

(3)王家梨行险情出现的裂缝属滑动性裂缝,应按滑动性裂缝的抢护原则采取相应的处理措施,起初却按处理非滑动性裂缝方法来处理,从而导致发生"白天竣工,夜间滑塌"的现象。由此,要求我们要加强学习和研究,努力提高对险情的判别力,避免人民生命和财产安全遭受更大的损失和威胁。

(4)必须认真加强工程管理,对险工坝岸按时进行观测,探摸根石,对大水期不靠溜的次坝也不应例外。要掌握工程变化情况以及对工程不安全因素的观测工作,以便分析研究,加强预见性,发现问题及时采取措施,把事故消灭在萌芽状态。

例 5　河南省武陟县北围堤 1983 年险情抢护

一、基本情况

(一)北围堤概况

黄河武陟县北围堤系原花园口枢纽工程之左侧围堤,位于北岸滩区,距北岸大堤 3km 左右,1960 年建成,长 9.69km。

(二)出险过程

1983 年 8 月 3 日花园口站发生 8 370m³/s 洪峰之后,因上游桃花峪以上山湾挑溜作用加强,改变了京广铁桥以下河势南大北小的局面,北股河流量由占全河流量的 20% 增大为 80%,同时铁桥以下河心产生嫩滩向北发展,大溜直冲北围堤前滩地,致使北围堤幸福闸前之草滩受冲坍塌,滩失而堤险。8 月 8 日大河临堤,确定抢修柳石垛 8 座。8 月 10 日,围堤 6 + 400 处距大河仅剩 12m,12 日开始抢修 6 号垛,尔后工程随着河势上提而上延,16 日抢修 1 个垛 (6 + 088),但河势并未终止北滚上提的趋势,被迫又续延柳石垛 10 个(位于围堤 5 + 400)。9 月 14 日,由于大河流量下降到 2 400m³/s,滩弯送溜能力相对减弱,险情有所缓和。10 月 7 日大河流量回升到 6 880m³/s,桥下南股河水量也有了明显增加,北股河溜势外移,溜走中泓,工程前水流减缓,险情有了明显好转。至 9 日,大河流量回落至 5 800m³/s,主溜归槽,况且时值深秋,水量大、沙量小,在围堤 5 + 400 处出现河脖(河面宽 300 余 m),构成入袖之势,因此,又续延柳石垛 8 座,相应桩号为 4 + 968。至 10 月 23 日,大河流量回落至 3 550m³/s,河势终止上提,险情方告稳定。

二、出险原因

北围堤工程所发生的险情归纳起来有 3 种:一是平稳下蛰;二是后溃前爬;三是猛墩猛蛰。其发生的原因如下:

(1)平稳下蛰。2 ~ 8 号垛工程基础浅,垛体受大溜顶冲作用,水深溜急,基础被淘刷,发生垛体下蛰。

(2)后溃前爬。为避免大溜冲刷堤脚,曾将 1 号垛的坝位布设在距堤脚 20m 以外,较其他垛前展 10m。当垛体受溜冲刷下蛰后,采用了搂厢抢护,但坝根后溃却贯穿于抢护过程始终,先后出现后溃险情达 10 次之多,致使抢护部位后退 10 余 m,究其原因,为松底钩绳所致。由于抢护人员为使垛体下蛰到底,曾将底钩绳接长30余m,予以放松,形成埽体前爬,坝根过水后溃。

(3)猛墩猛蛰。西2垛至西9垛均发生了猛墩猛蛰险情,其原因一是工程坐落在层沙层淤的格子底上,由于两种土质抗冲强度不一,出现沙土被冲,淤土呈悬臂状态承托埽体,当埽体加重或悬臂过长受剪力破坏,埽体就会出现猛墩猛蛰;二是由于埽体抓底后未能及时偎根,致使河床受冲下切,埽体悬空,埽体受桩绳牵系暂时尚能保持平稳,当水流继续向纵深(根部)淘刷时,就会发生拔桩、断绳、埽体猛墩入水现象。

三、可能造成的危害

北围堤一旦溃决失事,其危害是多方面的。第一,不仅使武陟和原阳滩区1万多公顷农作物当年绝收,而且还会造成这些农田沙化,至少在5年以内难以还耕;第二,危及滩区26万人民生命财产;第三,导致引溜夺河,使北岸大堤受到主流顶冲,危及堤防安全;第四,严重影响当时郑州黄河公路桥的施工;第五,南岸脱河,造成郑州市工农业供水困难,黄河石料转运码头处无河。

四、抢险措施及效果

8月9日,桩号6+400处,水边距堤脚仅12m,经查勘后,拟订"临堤下埽,以垛护堤"的抢护方案。工程平面布局均采用了宽20m,长10m,档距为70m的柳石垛,两垛中间护岸联结的防护形式,以求破溜缓冲,守点护线。在6+100~6+600堤段内修垛8座。先抢修下边6号垛(幸福闸上),6号垛前水浅溜顺(水深3~4m),但滩沿坍塌较快,并已靠近堤脚,在急于抢险又无船的情况下,采用柳枕铺底,枕上接厢的方法进行抢护,即在岸边推10m长柳石枕二排,待枕出水后,在枕的外沿插杆布绳,搂厢加高,并及时抛枕固根。随着河势向上游扩展,用同样方法抢修了5、4号垛;2号垛的抢护,采用了层柳层石的搂厢,这是黄河上一种传统而又普遍采用的水中结构。柳石搂厢对防止急溜冲刷滩岸效果显著,但需要以最快速度使埽体抓底,否则底部冲刷力增大易淘刷滩岸及河床。此法虽系黄河上的传统方法,但为避免埽体出现悬空、前爬、横膛等现象,在下部埽体采用了棋盘、三排桩、连环五子等软性家伙,使其埽体平稳下蛰;其上部选用双头人、羊角抓、三星桩等硬性家伙,以增大牵引力,遏制埽体前爬;同时,采取边加厢,边抛铅丝笼或大块石等措施,2号垛很快抢修成功。

8月14日河势恶化,3号坝位坍塌严重,水深溜急,抢修工程迫在眉睫,为使收效快,埽体稳,改柳石搂厢为滚厢。由于河势向上迅速塌方出险,8月19

日又决定在 1 号垛的上游增加 5 个垛,加西 1 垛至西 5 垛。随着险情继续扩大,战线延长,抢险异常紧张,天气还不断刮风下雨,河水淘刷越演越烈,8 月 30 日~31 日西 4 垛至西 5 垛护岸 70 多 m 堤线后溃,将堤顶塌去 2m 宽。至 9 月 1 日 16 时西 4 垛及西 5 护岸下蛰入水跑埽坍塌,其中大堤顶 20m 长塌入河中,仅剩背河堤坡,堤防形成一个小月牙形河湾,水流产生回溜也很严重。在此紧急情况下,动用解放军 700 名,以急行军速度来到工地,9 月 2 日晨 5 时投入抢险战斗。

在堤顶塌没之后,为加快抢险速度,采用了不用桩不用绳的柳石混砸,因刚塌方入水,土尚在河内未被完全冲走,且该段上游有西 5 垛掩护,因而一直将柳石混砸抛出水面,接着部队推柳石枕,整整推了一天,推枕 82 个,3 排枕出水 2m 高,制止了最危险堤段继续恶化。9 月 6 日抢完西 6 垛,9 月 11 日~17 日抢修西 7 至西 15 垛。10 月 9 日河势继续上提塌滩,险情再次迭起,至 10 月 23 日又续抢修柳石垛 10 个。西 1 垛至西 8 垛采用预捆懒枕的办法,也就是沿垛的边沿线捆扎宽和高各为 2m 的柳石枕,枕后绝大部分为抛枕和柳石混砸柳石埽,但都大量使用桩绳。实践证明,此法抢险效果较好。西 10 垛至西 18 垛改大懒枕为散柳枕堆,即用直径 1m、长 10m 的柳石枕按 6、5、4、3 堆放起来,待滩岸受溜坍塌后柳枕即可随着河床变形而下蛰,同时,又可滤水落淤,能与滩岸严密结合,防冲护土效果显著。

从 8 月 10 日开始抢险,至 10 月 23 日抢险结束,历时 53 天,大河流量则有 35 天在 3 000～4 000m³/s 之间,坝前水深最深达 14.0m,坝前流速则达 2.5～3.5m/s,共抢修工程长 1 772m(4＋828～6＋600),柳石垛 26 座,护岸 25 段,裹护长度 3 855m。此次抢险,时间长,险情紧,用料多、规模大,是新中国建立以来黄河上最大最危险的险情。

五、经验教训

在河道工程抢险中,必须掌握河势提挫范围,了解河床土质结构,探摸基础深度,据此,拟订最佳抢护方案,方能化险为夷。在此次抢险工作中,由于对基本资料掌握不够完整,也给工作带来了一定被动,以致在工程布局、坝垛结构、抢修管理、现场规划、道路安排、人员组织等方面都出现了捉襟见肘的局面,应吸取以下经验教训:

(1)加强工程管理,认真收集根石、河床土质等资料,并与分析河势有机地结合起来;一旦出险,即可全面布置抢险工作,即使河势突变,也能作为应变的依据。

（2）修防工，是抢险工作中惟一的技术力量，在防汛抢险中起着非常重要的作用，此次抢险队伍中，青工占90％以上，在抢险中出现了熟练技工严重后继乏人的状态，暴露出抢险技术力不从心的弱点，这个问题时至今日仍然普遍存在。黄河防汛抢险成功的最宝贵经验便是依靠工防加人防，因此，作为当务之急，在防汛准备中要切实大力加强抢险队伍尤其是黄河专业抢险队的技术培训，建成一支技术过硬、作风过硬的抢险骨干队伍，保证泰然面对一切险情。

（3）实践证明，做好抢险组织管理工作，包括技术管理、民工组织、料物供应、照明设施、险情记录、领退料物及坝垛施工日记等，是抢险工作顺利进行及至转危为安的重要环节。各级防汛指挥人员要加强业务培训，提高管理水平，以达到抢险过程中分工具体、职责明确、事事有人问、时时有人管、忙而不乱、秩序井然的抢险局面，保证抢险工作的顺利进行。尤其要注意对抢险道路和料场的管理，对预计可能出险的工程，有条件时要事先修筑抢险道路和开辟必要的料场，避免临时慌乱。

例6　河南省台前县韩胡同控导工程 1996 年险情抢护

一、基本情况

（一）工程概况

韩胡同控导护滩工程，始建于1970年5月，共有坝垛61道。其中，上延新6号坝修建于1976年12月，新7号、8号、9号3道坝是1995年汛前新修坝（此处上延坝垛自下而上编号），设防标准为防当地流量5 000m³/s，均属旱工修筑，未经过大水考验，根石基础差。

（二）出险过程

1996年8月5日，黄河花园口出现了1996年第一号洪峰，流量7 600m³/s，在洪水向下游传播过程中，大溜在韩胡同上延工程9号坝上首的滩地坐弯，造成水位异常壅高。8月12日13时15分，洪水冲断了工程上首的生产堤，开始向滩区进水，口门距新9坝尾200m，因临背水位悬差较大（2.5～3.0m），口门迅速向下游扩展至1 000余m，过水流量达1 200m³/s左右，约占当时大河流量的1/3。

8月12日17时，口门下游断堤头迅速冲塌至新9号坝坝尾，工程后路被抄，该坝即成了2股洪水的分水点，腹背受水，坝前坝后同时出险。同时，韩胡同工程新8、7、6号坝因主流顶冲相继出险。虽经当地军民昼夜奋力抢护，终因大河洪水持续上涨,不利河势不断加剧,造成新9号坝于8月13日17时被冲垮。新8号坝从12日17时16分发生重大险情,14日11时10分被冲垮;新7号坝联坝以12m/h的速度迅速坍塌后退,联坝塌体及坝尾迎水面猛墩下蛰入水,至16日5时被冲垮;新6号坝于12日19时发生重大险情,至16日5时,新6号坝除仅剩坝头坝基9m长外,其余全部被冲毁,而且新6～5号联坝被洪水冲塌31m长,新5号坝岌岌可危,经全力抢险,才保未垮。

二、出险原因

(1)工程所处河段主流一直上提,在工程上首坐弯,河势走向与工程联坝构成60°左右的夹角,弯度较陡,造成大溜顶冲新9～6号坝。

(2)坝基土为沙质土,且新9～7号坝为新修旱坝,缺少根基,首次接受洪水考验,必然会出险情。

(3)生产堤口门扩至工程后,工程腹背受水,水流流速大冲刷力强,各坝相继出险,抢险战线长,且通往工程的防汛道路被淹没,致使人员、料物无法运往工地。从工地现场情况看,石料够用,柳料不足,取土也较为困难,抢险条件差。

(4)抢险方法不当,致使小险变大险。发现险情初期,没有充分认识到新修工程险情具有突发性、发展快、难抢护的特点,仅抛少量散石无法控制险情。没有针对坝基土质较差、险情发展较快的情况,大量、快速抛投料物加深加固基础,并迅速采取搂厢或推柳石枕抢护。

三、可能造成的危害

韩胡同控导工程的主要作用是控导河势,护滩保堤保村,一旦失守,河势将发生重大变化,影响下游郓城县伟庄险工,梁山程那里险工等河势稳定,并在变化过程中,可能对右岸堤防造成新的威胁。另外,台前县马楼乡和清河乡将被洪水淹没,受灾村庄72个,8万人,淹没耕地0.8万 hm^2。

四、抢护措施及效果

险情发生后,国家防总、黄河防总对此险情非常重视,国家防总总指挥姜春云副总理亲自批示,要求迅速组织人力、物力,采取有效措施予以抢护,尽一切力量保证韩胡同工程险情不再向下发展。黄河防总派出的专家组现场指导,河南省黄河河务局增调水上机动抢险队80t自动驳船一艘、运输车11辆参加抢险工作,市县两级防指主要领导亲临一线指挥,迅速组织人员全力抢护。采用先抛枕护胎,接着抛笼护根,再抛石加固的抢护方法,奋力抢险,直至8月19日15时以后,工程险情才基本稳定。为了扼制险情进一步恶化,保住新5坝,从新5号坝迎水面到新6坝残存坝头抢修了一道长30m、顶宽2.5m、高8m(水下7m,出水1m)的护岸工程。从21日13时开始抢修新6号坝,以便对新5号坝的安全起到保护作用。截至21日20时,新6号坝原坝基已抢护长10m,出水1m。26日又对新6—新5联坝进行抛柳石枕和抛铅丝笼裹护、加固。

该工程抢险和加固根石9道坝共135次,用石11 848m³,麻料10 333kg,铅丝26 420kg,柳料76.7万kg,木桩1 148根,土方8 730m³,用工8 263个,耗资252.5万元。

五、经验教训

韩胡同控导工程接连发生垮坝3道,毁坝1道的险情,是"96.8"洪水时河道整治工程最为严重的一次险情。在抢护过程中有关单位虽然作了很大的努力,但损失仍然惨重,教训深刻。

(1)必须随时掌握河势变化情况,加强工程观测,及时掌握根石走失情况,方能对症下药,化险为夷。由于90年代以来黄河枯水断流加剧,韩胡同工程河势一直上提,1996年8月5日花园口站发生一号洪峰时,新2坝至新9坝一直受大溜顶冲,且河势上提进一步加重,因工程观测手段落后,不能及时掌握根石走失情况,使抢险工作处于被动状态。

(2)生产堤的存在是导致工程出险的主要因素。生产堤减小了滩区上水几率,加剧了槽高滩低堤根凹的二级悬河局面,一旦被洪水冲断,因临背水位悬差较大,口门过流迅速增大,占当时大河流量的1/3左右,致使工程腹背受水,防汛道路被冲毁,断绝了对外交通,使防汛抢险工作处于被动。事实教育我们,一定要大力破除滩区生产堤。

(3)防汛指挥及抢险人员缺乏抢险经验,也是造成险情扩大的一个重要原因。因此,各级抢险指挥及防汛抢险专业技术人员,要吸取教训,努力加强抢险技术学习,避免此类事件再次发生。

例7　1955年凌汛山东省利津县五庄决口堵复

一、基本情况

博兴县麻湾险工至利津县王庄险工30km的河道,堤距一般1km左右,最窄处小李险工仅441m,具有窄、弯、险的特点,麻湾、王庄险工坐弯几乎成90°,一旦卡冰,水无泄路。该河段水位陡涨极易出险,历史上曾多次决口。五庄村堤段位于该河段上首麻湾险工对岸的利津县黄河左岸,距黄河入海口处70多km。1954~1955年度黄河凌汛期气温低、封河早、封冻河段长、冰量大,开河时利津河段形成冰坝,造成堤防决口。

二、出险情况

1月19~22日,济南以上河段日平均气温回升转正,幅度较大,河南封河段由于冰盖薄,槽蓄水多,开河速度迅猛。26日高村站出现了2 180m³/s凌峰,沿程凌峰随着槽蓄水的急剧释放不断加大,艾山、泺口、杨房站凌峰流量达3 000m³/s左右。29日凌晨开河至利津县,水流在王庄险工段严重受阻,此时王庄险工一带河道冰质坚硬,不具备开河条件,上游来冰大量在王庄险工以上集结,主要分布在麻湾到王庄险工一段,形成长达24km的冰坝,冰量达1 200万m³。王庄险工上游利津站水位上涨了4.29m,最高水位达15.31m(大沽),超过当年保证水位1.5m,壅水影响范围长达90km,冰坝以上蓄水约2.1亿m³,造成冰坝以上50多km的滩地大量漫水,有30km长的河段堤顶出水只有0.5~1.0m,局部河段面与堤顶平,形势十分危急。

29日,21时左右,利津五庄大堤296+180处,背河柳荫地多处冒水。当即组织人力用麻袋装土压护,并在临河打冰寻找洞口,发现后随即抛草捆、玉米秸、土袋,但均被冲出。洞口急速扩大,堤顶突然塌陷成缺口,先后采取沉船堵截和船装土袋沉堵等措施,均无效,又用大船装秸料,土袋沉堵也告失败,此时口门已扩宽至10m以上,水流甚急,风又大,照明灯全被风吹灭,工地一片黑暗,防守十分困难。29日23时堤身溃决,口门迅速扩宽到305m,最大过流约1 900m³/s,口门水深达6m。正当五庄村西紧张抢险之时,下游村东大堤298+200处背河堤脚也出现漏洞,几次抢堵不成,堤顶塌陷2m多,于31日1时发生溃决。两股溃水汇合后,沿1921年宫家决口故道经利津、沾化入徒骇河。受灾范围东西宽25km,南北长约40km,利津、滨县、沾化3县360个村庄,17.7万人受灾,淹没耕地6万 hm²,倒房5 355间,死亡80人。

三、堵口过程

党和政府对受灾群众十分关怀,在积极抢救安置灾民的同时,为争取桃汛前堵复决口,使灾区早日恢复生产,迅速组建了堵口机构筹备堵口。从决口到堵复,历时40天,于3月13日完成堵口工程。经过如下:

2月6日,实测上口门出流量约占57%,下口门出流量约占15%。经调查研究,确定先堵塞滩地进水沟口,截断水源,根据先堵小口后堵大口的原则,于2月9日先在过流量少的下口门进水沟沉挂柳枝、树头缓溜落淤,并堵塞滩地串沟。当串沟过水小时,在沟的最窄处,用搂厢埽截堵断流,随即堵合大堤口门,新堤与旧堤之间插尖相接,新堤口门段宽14m,高出保证水位3.5m。

上口门进水沟口宽约170m,截流之前先在滩唇修做柳石堆4段,以防止刷宽,又在沟前沉柳落淤,至3月6日实测,沟口平均水深已由4m减为1.8m,平均流速降至0.6m/s,沟口流量由360m³/s减为100m³/s。3月6日从滩地进水沟口处开始进占截流,6 000余人从东西两岸正坝同时进占,3月9日边坝相辅进占。至3月10日,龙门口宽度12m。11日7时30分,开始进行合龙,先在正坝龙门口分抛苇石枕,两面夹击,抛至10时15分,枕已露出水面,接着于枕上压土加料,用蒲包装土抛护枕前,正坝合龙告成。15日边坝下占合龙,土柜、后戗浇筑同时进行,12日闭气,又进行加固,至13日15时,截流工程全部完成。

滩内截流后,大堤口门已成静水,旋即修复大堤口门,新堤位置后退35m,总长1 110m,新旧堤接头亦用插尖结合。新堤口门段顶宽12m,插尖段顶宽10m,堤顶高出保证水位3m。

五庄堵口,由决口到合龙,历时40天。共用石料3 585m³、土方41万 m³、柳枝154万 kg、秸苇料182万 kg、麻绳7.3万 kg,实用工32.28万工日,总投资79.51万元(当年价)。

四、经验教训

(1)五庄上口门系1921年宫家决口处,堤基埋有堵口时所抛之乱石,修堤时未能很好处理,此次凌汛漫滩后,水沿乱石缝隙渗到背河地下,初呈管涌,逐渐扩大成漏洞,以致决口。因此,在防汛中对有老口门的堤段要加倍重视,对决口处的堤基要做好加固处理,并增派力量加强防守。

(2)五庄下口门之决口系防守疏忽所致,当时全部人力集中于抢护上口门,而下口门处无人看守,待至发现险情后,为时已晚,抢护不及。因此,堤防防守必须固定专人,分段负责,以免顾此失彼。

(3)五庄决口为凌汛决口,当时大风凛冽,照明灯全被刮灭,加之天寒地冻、取土困难、物料用尽,给抢险造成极大的困难。因此,一定要做好防汛抢险的物资保障,而且大险情往往伴随着大风、大雨或大雪等恶劣天气,给抢险及通信和照明等带来额外的困难,要求我们一定要事先制订好通信、照明及其他防汛抢险的物资保障预案,并把困难和问题估计充分,确保万无一失。

参 考 文 献

1 胡一三. 中国江河防洪丛书·黄河卷. 北京:中国水利水电出版社,1996
2 黄河防洪志编纂委员会,黄河水利委员会黄河志总编辑室. 黄河防洪志. 郑州:河南
   人民出版社,1991
3 水利部黄河水利委员会. 辉煌五十年. 郑州:黄河水利出版社,1996
4 水利部黄河水利委员会. 黄河河防词典. 郑州:黄河水利出版社,1995
5 孙贻让. 山东水利. 济南:山东科学技术出版社,1997
6 黄河水利委员会民主党派办公室. 治河文选. 郑州:黄河水利出版社,1996
7 陈效国. 堤防工程新技术. 郑州:黄河水利出版社,1998
8 胡明思,骆承政. 中国历史大洪水(上卷). 北京:中国书店,1998
9 黄河水利委员会黄河志总编辑室. 历代治黄文选(上册). 郑州:河南人民出版社,
   1988
10 黄河水利委员会黄河河口管理局. 东营市黄河志. 北京:中国科学技术出版社,1995
11 刘红宾.1993年黄河内蒙古段封河期堤防决口原因分析. 人民黄河,1995(12)
12 赵业安,刘红宾,李勇. 对黄河"96.8"洪水的主要认识. 人民黄河,1998(5)
13 罗庆君. 防汛抢险技术. 郑州:黄河水利出版社,2000